5toubun no hanayome

Negi Haruba

10

キャラクター紹介《しょうかい》
未来《みらい》の花嫁《はなよめ》は、
五《いつ》つ子《ご》の誰《だれ》か……!!
中野一花《なかのいちか》
長女《ちょうじょ》。最近《さいきん》はとても長女《ちょうじょ》している。
お気《き》に入《い》りスポットはベッド。
中野二乃《なかのにの》
次女《じじょ》。タピオカを飲《の》むためなら
ばいくら並《なら》んだって構《かま》わない。
お気《き》に入《い》りスポットはバイト先《さき》。
五《いつ》つ子《ご》メモ
☆勉強嫌《べんきょうぎら》い…勉強《べんきょう》を教《おし》えようとすると逃《に》げる。
☆赤点候補《あかてんこうほ》…風太郎《ふうたろう》が出《だ》した小《しょう》テストは、
五人合計《ごにんごうけい》で100点《てん》だった。
☆落第寸前《らくだいすんぜん》…落第《らくだい》しかけたため転校《てんこう》してきた。
☆超個性的《ちょうこせいてき》…それぞれに強烈《きょうれつ》な個性《こせい》があり
一筋縄《ひとすじなわ》ではいかない。
……そんな彼女《かのじょ》たちを「卒業《そつぎょう》」に導《みちび》け!!

中野三玖《なかのみく》
三女《さんじょ》。すっかり暑《あつ》くなってきたけど気合《きあい》でタイツ着用《ちゃくよう》。お気《き》に入《い》りスポットは何《なに》かの隙間《すきま》。
中野四葉《なかのよつば》
四女《よんじょ》。体《からだ》は大人《おとな》。頭脳《ずのう》は子供《こども》。パンツも子供《こども》。お気《き》に入《い》りスポットはブランコ。
★中野五月《なかのいつき》
五女《ごじょ》。五月病《ごがつびょう》と聞《き》くとなんとなく落《お》ち込《こ》む。お気《き》に入《い》りスポットはペットショップ。
上杉風太郎《うえすぎふうたろう》
焼《や》き肉定食《にくていしょく》
焼《や》き肉《にく》抜《ぬ》きで
五《いつ》つ子《こ》の家庭教師《かていきょうし》。知《し》らぬ間《ま》に戦争《せんそう》に巻《ま》き込《こ》まれた被害者《ひがいしゃ》。お気《き》に入《い》りスポットは机《つくえ》。
これでお腹《なか》いっぱい食《た》べられるようになるね！
上杉《うえすぎ》らいは
風太郎《ふうたろう》の妹《いもうと》。長女《ちょうじょ》。
お気《き》に入《い》りスポットはゲームセンター。

10

CONTENTS

第《だい》78話《わ》 シスターズウォー 一回戦《かいせん》
えーっと… 三玖《みく》 ここって パン屋《や》さん だったよね？
石屋《いしや》じゃ なくて
……
ま まぁ 中野《なかの》さんは バイト始《はじ》めた ばかりだし…
パン作《づく》りは難《むずか》しい 最初《さいしょ》は誰《だれ》でも こうなるよ
幸運《こううん》にも向《む》かいの ケーキ屋《や》は それほど 脅威《きょうい》じゃない
私《わたし》もできる限《かぎ》り 教《おし》えていくから 上達《じょうたつ》していこう！
こむぎや
はい！

なんかベチャっとしてる…
おかしい…手順《てじゅん》通《どお》り作《つく》らせているのに不思議《ふしぎ》な力《ちから》でなぜか失敗《しっぱい》する
最近《さいきん》向《む》かいの店《みせ》調子《ちょうし》良さげだなぁ…
やっぱり才能《さいのう》ないのかなぁ…
じ自信《じしん》持《も》って!
こむぎや
前《まえ》より食《た》べ物《もの》に近《ちか》づいてる気《き》がする! この調子《ちょうし》だよ
うん…

コケッ
パンだ…
この前《まえ》 食《た》べたのは 幻《まぼろし》じゃなかったんだ!
まだ お店《みせ》に 出《だ》せるレベルじゃ ないけどね
三玖《みく》ちゃんが ここまで作《つく》れる ようになれて私《わたし》も うれしいよ…
店長《てんちょう》さん ありがとう ございます
やっぱり すぐ上杉《うえすぎ》さんに 食《た》べてもらおうよ きっと驚《おどろ》くよ
まだ 美味《おい》しいパン じゃない
三玖《みく》ちゃん 修学旅行《しゅうがくりょこう》 までにとか 言《い》ってたっけ?
はい
一日目《にちめ》の お昼《ひる》が 自由昼食《じゆうちゅうしょく》の はず…

侵掠《しんりゃく》すること火《ひ》の如《ごと》し
そこで私《わたし》のとっておきをあげる
そっか！
絶対《ぜったい》喜《よろこ》んでくれるよ！
でも問題《もんだい》がもう一《ひと》つ…
？
全国模試《ぜんこくもし》も無事《ぶじ》終《お》わったということで修学旅行《しゅうがくりょこう》の話《はなし》に本格的《ほんかくてき》に入《はい》りたいと思《おも》います
3－1
修学旅行
事前《じぜん》に配《くば》られたパンフレットに三日間《みっかかん》の流《なが》れは書《か》かれていますが
皆《みな》さんは明日《あした》までに班《はん》を決《き》めておいてください
ざわ
ざわ
ざわ

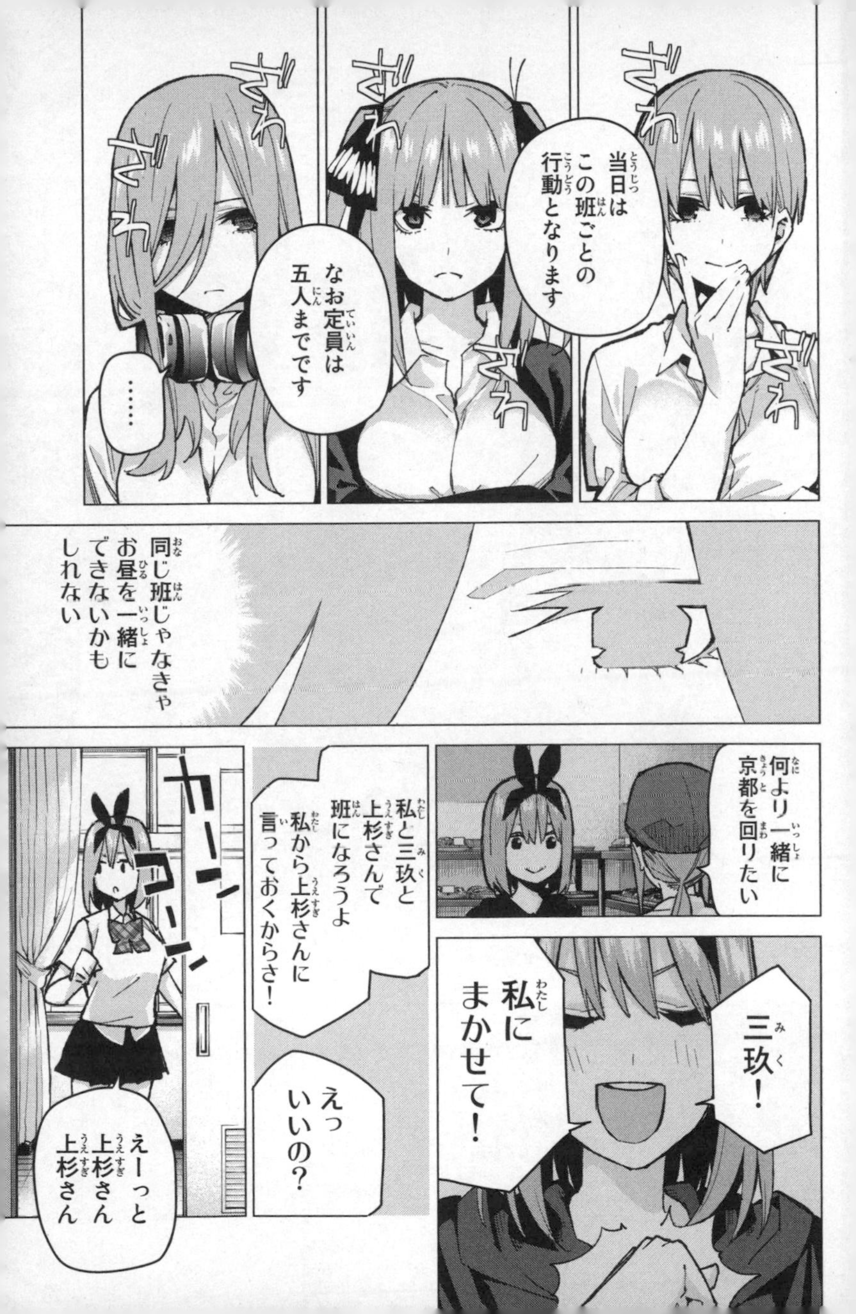

ざわ
当日《とうじつ》はこの班《はん》ごとの行動《こうどう》となります
ざわ
なお定員《ていいん》は五人《にん》までです
ざわ
ざわ
ざわ
……
同《おな》じ班《はん》じゃなきゃお昼《ひる》を一緒《いっしょ》にできないかもしれない
何《なに》より一緒《いっしょ》に京都《きょうと》を回《まわ》りたい
三玖《みく》!
私《わたし》にまかせて!
私《わたし》と三玖《みく》と上杉《うえすぎ》さんで班《はん》になろうよ
私《わたし》から上杉《うえすぎ》さんに言《い》っておくからさ!
えっ いいの?
カーン
コーン
えーっと上杉《うえすぎ》さん上杉《うえすぎ》さん

いた!
おーい 上杉《うえすぎ》さ
四葉《よつば》
!
ちょいちょい
どーした の 一花《いちか》

修学旅行《しゅうがくりょこう》楽《たの》しみだね
私《わたし》たち京都《きょうと》って初《はじ》めてだっけ？
違《ちが》うよ小学生《しょうがくせい》の頃《ころ》も行《い》ったじゃん
そうだったね
四葉《よつば》はまた行《い》きたい所《ところ》とかある？
ベタだけどお寺《てら》かな〜
クラスの皆《みんな》は五人班《にんはん》で悩《なや》んでるみたいだけど私《わたし》たちにはお誂《あつら》え向《む》きだよね
あ！はは…五《いつ》つ子《ご》でよかったね…
でもフータロー君《くん》はどうだろう
もう三年生《ねんせい》なのに友達《ともだち》いなそうだもんな〜
お姉《ねえ》さん心配《しんぱい》だよ
えーっと…
それなら…
仕方《しかた》ない
ここは私《わたし》たちが一肌《ひとはだ》ぬごうよ
え？一花《いちか》？

私《わたし》と四葉《よつば》と
フータロー君《くん》で
一《ひと》班《はん》
いいよね？
！
あ ごめん
電話《でんわ》だ
じゃあ四葉《よつば》
よろしくね
え！
待《ま》って…
……
図書室
どーしよ…

お 今日《きょう》は珍《めずら》しく 三玖《みく》がいるな
この後《あと》 バイトだけど ちょっとだけ 参加《さんか》する
全国模試《ぜんこくもし》以来《いらい》の 全員集合《ぜんいんしゅうごう》ですね
そうだな あれから 一週間《しゅうかん》か
なーに 熱《あつ》い視線《しせん》 送《おく》ってんのよ
えっ いえっ さっ 勉強《べんきょう》を 始《はじ》めましょう!
その前《まえ》に
修学旅行《しゅうがくりょこう》の 話《はなし》がしたい
え?
!

フータロー誰《だれ》と組《く》むか決《き》めた？
！
俺《おれ》は……
待《ま》って！
四葉《よつば》が話《はな》したいことあるって
ええ！
え…えーっと…
私《わたし》は…

ほら
ね
何《なに》？
早《はや》く言《い》えよ
あ あの ですね… 三玖《みく》も一花《いちか》も一緒《いっしょ》に…
だけど 五月《いつき》と二乃《にの》は… 姉妹《しまい》は 皆《みんな》 一緒《いっしょ》じゃなきゃ…
あ そうだ！

この際《さい》 皆《みんな》で同《おな》じ班《はん》になろうよ！
上杉《うえすぎ》さんも一緒《いっしょ》に！
は？
それが一番《いちばん》だけど…
定員《ていいん》は五人《にん》までって…
うん
だから私《わたし》以外《いがい》の皆《みんな》でってこと！
これなら万事《ばんじ》 解決《かいけつ》だね
それは…いくらなんでも…
四葉《よつば》それはできねぇよ
え？

何《なに》か問題《もんだい》ありますか？
……
あるぞ…大《おお》きな問題《もんだい》が…
そうね
そんなこと誰《だれ》も望《のぞ》んでいないってこと
少《すく》なくとも私《わたし》はね
たとえばこんなのどうかしら

私《わたし》とフー君《くん》が二人《ふたり》っきりの班《はん》を組《く》むの
！
フー君《くん》…？
四葉《よつば》が何《なに》を言《い》おうとしてたか知《し》らないけど
私《わたし》は最初《さいしょ》から決《き》めてたわ

好《す》きな人《ひと》と回《まわ》る
あんたに拒《きょ》否《ひ》権《けん》はないから

上杉君《うえすぎくん》の言《い》ってたことは嘘《うそ》じゃなかったのですね…
ということはまさか…
本当《ほんとう》に一花《いちか》も…
やられた…!
こんな堂々《どうどう》と宣言《せんげん》されたら手《て》の出《だ》しようがない
お おい…
二乃《にの》勝手《かって》に…
フー君《くん》は黙《だま》ってて!
フー君《くん》…

わ…
私《わたし》も…

言《い》いたいことがあるなら
今《いま》
言《い》ってみなさい
決《き》まりね
決《き》めんな
俺《おれ》の話《はなし》を聞《き》け
だーかーら! 今《いま》は黙《だま》ってなさいって!
いい? あんたなんかが私《わたし》とデートできることを感謝《かんしゃ》しなさい

俺《おれ》 もう クラスの男子《だんし》と 班《はん》を組《く》んだぞ
すまん
はい これで 班分《はんわ》けも 決《き》まったと いうことで 各班《かくはん》 班長《はんちょう》を 決《き》めて おくように
班長《はんちょう》 誰《だれ》が やんだコラ
お前《まえ》も一組《くみ》 だったんだ な…
この僕《ぼく》を 差《さ》し置《お》いて いるまい!
なんで こうなるのよ…

やっぱ あの五人《にん》は そうなるよね
俺《おれ》… 一花《いちか》さん 狙《ねら》ってた のに…！
だけど 同《おな》じ姉妹《しまい》で なんて よっぽど仲《なか》が 良《い》いんだねー
結局《けっきょく》 いつも通《どお》り…
はは… フータロー君《くん》に 友達《ともだち》ができて 良《よ》かったね…
……
気《き》まずい！

第《だい》79話《わ》　シスターズウォー　二回《かい》戦《せん》

……
最近《さいきん》 なんだか
私《わたし》たちの雰囲気《ふんいき》
悪《わる》いけど…
修学旅行《しゅうがくりょこう》で
また仲良《なかよ》く
なれるといいね!
そう
ですね
また
あの頃《ころ》のように
戻《もど》れますよ
よーし
私《わたし》も準備《じゅんび》
始《はじ》めよっかな
何《なに》が必要《ひつよう》
だったかな?
下着《したぎ》と
靴下《くつした》
歯《は》ブラシは
持《も》っていくん
だっけ?
MEN'S SOCKS
2F

おいらいはわざわざ新調《しんちょう》しなくていいだろ
えー だってお兄《にい》ちゃんのパンツビロビロだもん
クラスの人《ひと》に笑《わら》われちゃうよ!
くすくす
今《いま》 笑《わら》われてますけど
家庭教師《かていきょうし》に復帰《ふっき》できたんだから 少《すこ》しくらい自分《じぶん》のために使《つか》ってもバチは当《あ》たらないよ
あ でも五月《いつき》さんたちへの誕生日《たんじょうび》プレゼントをケチってたら嫌《きら》われちゃうよ?
へぇ あいつら誕生日《たんじょうび》なのか
えっ
ま…やらなくても…
つーかあいつらも遅《おく》れてたし…いや そもそもあっちから言《い》わないということは…
うわ〜…
もう過《す》ぎてるけど
頂《いただ》いたらお返《かえ》し!小学生《しょうがくせい》でも知《し》ってる常識《じょうしき》だよ!

たたた
！
やっぱあげたほうがいいかな？
ひやあっ！
あっ
誰《だれ》かと思《おも》えば…
上杉《うえすぎ》さん！
らいはちゃんもこんにちはー
五月《いつき》さんと昨日《きのう》メールしてたんだ 一緒《いっしょ》に買《か》い物《もの》しようって
SALE
ふーん それより誕生日《たんじょうび》の…
あー！シーシー！
お兄《にい》ちゃん頭《あたま》いいんだからそれくらい考《かん》えられるでしょ？
ぐっ
？
やはり あなたも一緒《いっしょ》でしたか… そういうことなら一緒《いっしょ》に買《か》い物《もの》はできません

こいつらの買《か》い物《もの》を観察《かんさつ》してりゃほしいものも見《み》えてくるかもな…
な なぜ付《つ》いてくるのですか⁉
どうせ同《おな》じ物《もの》を買《か》うんだいいだろ
ええそうです！しかし同《おな》じであっても全《まった》く別物《べつもの》…
え？
下着《したぎ》！買《か》いにきたんです！
デジャブ!!
五月《いっき》さん！これはいくらなんでもアダルトすぎるよ！
こここ高校生《こうこうせい》ですからね！これくらい普通《ふつう》です！

お前《まえ》は いいのか?
あはは 私《わたし》 物《もの》持《も》ちが 良《い》い方《ほう》なので
まだ お子《こ》様《さま》 パンツか
なぜ それを…!!
ったく 模試《もし》を 終《お》えたばかりとはいえ こんなことしてる 場《ば》合《あい》かよ…
……
四《よつ》葉《ば》 お前《まえ》 将来《しょうらい》なりたいもの とかあるか?
えっ
突然《とつぜん》 ですね
うーん
考《かんが》えたこと なかった…
やはりか…
とはいえ こいつは ずば抜《ぬ》けた 身《しん》体《たい》能《のう》力《りょく》がある
その方面《ほうめん》で 探《さが》してやれば きっと 適《てき》したものが 見《み》つかるはずだ

ホクホク
おまたせー
あれ？五月《いつき》は？
奥《おく》で採寸《さいすん》と試着《しちゃく》してるよ
五《いつ》つ子《ご》なんだから他《ほか》の奴《やつ》と同《おな》じサイズでいいだろ
ピピー
あ！五《いっ》つ子《ご》ハラスメントですよ
イッハラ！
……
でも採寸《さいすん》は確《たし》かに不自然《ふしぜん》です…
はっ！
もしや五月《いつき》…一人《ひとり》だけ抜《ぬ》け駆《が》けしたんじゃ…
五《いつ》つ子《ご》のみなさんも大変《たいへん》なんだね
そうなんですよ最近《さいきん》なんて特《とく》に…
？
いいえっ
とにかく林間学校《りんかんがっこう》は散々《さんざん》な結果《けっか》で終《お》わってしまったので…
今度《こんど》こそ！

後悔《こうかい》のない修学旅行《しゅうがくりょこう》にしましょうね！
どうでもいいがな体調管理《たいちょうかんり》だけは気《き》をつけるさ
もー本当《ほんとう》は楽《たの》しみにしてるくせに！
家《いえ》で何度《なんど》もしおりを確認《かくにん》してるんだから
らいは!!
それに
写真《しゃしん》の子《こ》にも会《あ》えるかもしれないしね

それは ないだろ…
あれ？ 京都《きょうと》じゃ なかったっけ？ お父《とう》さん そう言《い》ってたけど
だとしても あっちも 旅行者《りょこうしゃ》だから…
写真《しゃしん》の子《こ》って なんですか？
……
くるくる
ほら 見《み》せて あげなよー
なんでも ねーよ 写真《しゃしん》も もうない
むっ
なんだか 怪《あや》しいですね！
何《なに》もないなら 言《い》えるはず ですよ！
なぜ話《はな》せないのか 私《わたし》にはわかります！
それは未練《みれん》が あるからです！
さぁ話《はな》して すっきり しちゃいま しょう！
珍《めずら》しく お兄《にい》ちゃんが 押《お》されてる… こういう 話《はなし》になると 途端《とたん》に弱《よわ》いなぁ

京都《きょうと》で偶然《ぐうぜん》会《あ》った女《おんな》の子《こ》だ 名前《なまえ》は零奈《れな》
えっ 零奈《れな》って…
おしまい
おしまい~!?
か かなり気《き》になるんですが…
もう少《すこ》し詳《くわ》しく教《おし》えてくださいよー
つまりお兄《にい》ちゃんの初恋《はつこい》の人《ひと》だよね
えっ
は
初恋《はつこい》!!

おい…
誰《だれ》もそんなこと…
えへへ
食《た》べ物《もの》の話《はなし》してたらお腹《なか》すいちゃった
一言《ひとこと》もしてないけど
っ
じゃじゃあ
私《わたし》がなんでも買《か》ってあげちゃいますよ！
上杉《うえすぎ》さんは五月《いつき》を待《ま》ってる係《かかり》です！
はぁ…
疲《つか》れた…
二回《かい》目《め》は驚《おどろ》かねぇぞ

零《れ》奈《な》
なーんだ
残《ざん》念《ねん》

修学旅行《しゅうがくりょこう》 京都《きょうと》らしいね 懐《なつ》かしいなー
もう姿《すがた》を見《み》せないんじゃなかったのか?
なぜ また現《あらわ》れた

君《きみ》に会《あ》いたくて
って言《い》ったらどうする
こんなことしなくてもいつも会《あ》ってるだろ
え
えっ
零奈《れな》

なぜ母親《ははおや》の名前《なまえ》を名乗《なの》った
はは…
そこまでバレちゃってるんだ…
あの時《とき》はとっさにね…
でも 今日《きょう》伝《つた》えたいことを君《きみ》から言《い》ってくれて良《よ》かった
信《しん》じてもらえなかったらどうしようかと思《おも》ってたから…
君《きみ》の考《かんが》えてる通《とお》り
私《わたし》は五《いつ》つ子《ご》の一人《ひとり》
君《きみ》に私《わたし》がわかるかな？

わからん！
早《はや》く
教《おし》えろ
諦《あきら》め早《はや》っ！
そんな直球《ちょっきゅう》に
聞《き》くもんじゃ
なくない？
ほら成績優秀《せいせきゆうしゅう》
なんだから
考《かん》えてみてよ
誰《だれ》が
誰《だれ》とか…
誰《だれ》のフリした誰《だれ》とか
…もうたくさんだ
楽《たの》しい
修学旅行《しゅうがくりょこう》に
ケチつけんな
しっしっ

き 気《き》にならないの？
…私《わたし》のこと
どうでも良《よ》くなったの？
……
お前《まえ》には…
あらっ こちらで試着《しちゃく》していたお客様《きゃくさま》は…
カバンしかないけど…
すみません
シャッ

思《おも》った通《とお》りにいかない…
しかし
楔《くさび》は打《う》ちました
いよいよ始《はじ》まるね
おーい五月《いつき》新幹線《しんかんせん》乗《の》るよ
新大阪・博多方面
ひかり 495 7:37 広
こだま 695 7:56 新大
のぞみ 5 8:13 博
のぞみ 201 8:24 新大
ひとまずフー君《くん》の班《はん》に付《つ》いて行《い》くわよ
でもフータロー君《くん》嫌《いや》がってたよ
そのフー君《くん》やめて
うとうと
上杉《うえすぎ》君《くん》！

清水寺《きよみずでら》行《い》きましょうよ
私《わたし》たちの班《はん》と一緒《いっしょ》に！
は？
いや 今回《こんかい》は班《はん》ごとに行動《こうどう》だろ？
！
まぁ そう言《い》わずに
京都《きょうと》での思《おも》い出《で》は大切《たいせつ》なはずじゃなかったのですか？
あなたなら気《き》づいてくれると信《しん》じてます
えっ
なんで五月《いっき》が…
五月《いっき》までどうしちゃったのーっ!?

第《だい》80話《わ》 シスターズウォー 三回戦《かいせん》

終《お》わったよ
ボー！
うとうと
！
あ ツーペア
遅《おそ》いし弱《よわ》い！
眠《ねむ》そうだね 今朝《けさ》早起《はやお》きしてどこか行《い》ってたみたいだけど
ヒソ ヒソ
うん
バイト先《さき》に無理《むり》言《い》って朝《あさ》から厨房《ちゅうぼう》貸《か》してもらってた
えっ じゃあ…
それを食《た》べてもらっていよいよ…
ゴゥン ゴゥン
ずっと今日《きょう》のために頑張《がんば》ってきたんだもんね
最後《さいご》まで応援《おうえん》するよ
冷《さ》めても美味《おい》しいといいんだけど

そうだ
次《つぎ》勝《か》った人《ひと》はなんでも命令《めいれい》できる
ってルールはどうかな？
なんでもね…
いいじゃない
受《う》けましょう
負《ま》けない
メラメラメラ
メラメラメラ
このバチバチ…
トランプだけの盛《も》り上《あ》がりだよね…!?

大《おお》きい荷物《にもつ》はこちらでホテルに送《おく》っておく
貴重品《きちょうひん》だけ持《も》っていくように
諸注意《しょちゅうい》は以上《いじょう》だ
では解散《かいさん》
カシャン
どうかしましたか？
えううん多分《たぶん》気《き》のせいだわ
フー君《くん》の班《はん》どこに行《い》くのかしら…
皆《みんな》は行《い》きたいとこある？

それは やっぱ旅《たび》といえば買《か》い物《もの》よ
古《ふる》~いお寺《てら》よりお洒落《しゃれ》なお店《みせ》の方《ほう》が楽《たの》しいわ
わかってないなーせっかくの京都《きょうと》だよ?
ならではの美味《おい》しい物《もの》を食《た》べさせたいよ
私《わたし》も その意見《いけん》に賛同《さんどう》ですが…
今《いま》は もう少《すこ》し この駅内《えきない》で あの日《ひ》のことを… いえ 散策《さんさく》しても良《い》いかと思《おも》います

五月《いつき》 急《きゅう》に どうしちゃったの？
私《わたし》は…
あ！
フータロー君《くん》の班《はん》が出発《しゅっぱつ》したよ
素直《すなお》に合流《ごうりゅう》しないということは全員《ぜんいん》考《かんが》えてることは同《おな》じってわけね…
付《つ》いて行《い》くわよ
どこ行《い》くんだろ…
なんだここ…
学問《がくもん》の神様《かみさま》が祀《まつ》られている神社《じんじゃ》さ
前田《まえだ》君《くん》 君《きみ》の成績《せいせき》は見《み》るに堪《た》えないんだから深《ふか》ーく祈《いの》りたまえ
……
パン パン

んだとコラァ！
お前《まえ》らうるせー！
なんか…地味《じみ》ね…
こらこら
移動《いどう》するみたいだよ
隣《となり》にも神社《じんじゃ》があるみたいだね
自由昼食《じゆうちゅうしょく》は今日《きょう》しかないのに…
やっぱり班行動《はんこうどう》が最大《さいだい》の難関《なんかん》…
大丈夫《だいじょうぶ》
きっと二人《ふたり》きりになれるチャンスはあるはずだよ
わあっ！
これずっと鳥居《とりい》なの!?

写真《しゃしん》では見《み》ていましたが
やはり実物《じつぶつ》は壮観《そうかん》ですね
映《ば》えるわ〜
ほら あんたたちも ピース
なんだか 姉妹《しまい》だけなのも 貴重《きちょう》だね
あー 五人《にん》だけって なかった？
花火《はなび》の時《とき》は 写真《しゃしん》撮《と》って ないっけ？
それこそ 小学生《しょうがくせい》の頃《ころ》の 修学旅行《しゅうがくりょこう》以来《いらい》 ですよ
じゃあ 今度《こんど》は 全員《ぜんいん》で…
フータロー もう上《うえ》かな？
なかなか 見《み》えないわ
男《おとこ》の子《こ》は 速《はや》いから
よーし 私《わたし》たちも 頑張《がんば》ろー！

ハァ
ハァ
け…結構《けっこう》長《なが》いわね…
足《あし》が痛《いた》くなってきました…
もー皆《みんな》遅《おそ》ーい!
あの子《こ》は気楽《きらく》でいいわね
あれが四葉《よつば》の良《い》いとこだよ
そうね どこかの腹黒《はらぐろ》さんとは大違《おおちが》いだわ
!
どうせ今日《きょう》も悪巧《わるだく》みを企《くわだ》ててるんでしょ
はは…
そんなこと しないよ

四ツ辻
道《みち》が二《ふた》つあるね
どっちも山頂《さんちょう》に続《つづ》いてるみたいだよ
フー君《くん》はどっちに行《い》ったのかしら…
ここで会《あ》えなかったら大幅《おおはば》なロスになるわ…
もう お昼《ひる》ですし あそこのお店《みせ》でお食事《しょくじ》を取《と》りましょう
!
何《なに》よ 他《ほか》に食《た》べたい物《もの》あるの？
ええっと…
……
待《ま》って… お昼《ひる》は
……
フルハウス

二手《ふたて》に分《わ》かれよう！
え？
私《わたし》と三玖《みく》が右《みぎ》のルート
一花《いちか》と二乃《にの》と五月《いつき》が左《ひだり》のルートね
そうすれば上杉《うえすぎ》さんと入《い》れ違《ちが》わずにすむよ！
ちょっと待《ま》ちなさい
勝手《かって》に決《き》められちゃ…
勝者《しょうしゃ》の私《わたし》が言《い》うことは絶対《ぜったい》！
なんでも命令《めいれい》できる権利《けんり》！
うっ…！

左《ひだり》ルート
あんたが余計《よけい》な提案《ていあん》したせいで変《へん》なことになっちゃったじゃない
人《ひと》の流《なが》れから見《み》て あっちが正規《せいき》ルートよ もしかしたら先《さき》に合流《ごうりゅう》されるかも
えっと…
二乃《にの》たちはなんの話《はなし》を…
あ
お手洗《てあら》いです
丁度《ちょうど》 行《い》きたかったのでこっちで正解《せいかい》でした
この先《さき》には無《な》いのよねー私《わたし》も行《い》っておこうかしら

右《みぎ》ルート
三《み》玖《く》〜
早《はや》くしないとお昼《ひる》終《お》わっちゃうよ〜
うん…あと少《すこ》し…
この日《ひ》のためにずっと頑《がん》張《ば》ってきたんだもん
あと少《すこ》しだけ頑《がん》張《ば》ろっ！
四《よつ》葉《ば》…ありがと…
もうお昼《ひる》なのに…お腹《なか》が空《す》きましたね…
フー君《くん》たちはお昼《ひる》ご飯《はん》どうするつもりだったかしら?
あれ?

一《いち》花《か》は・・・
?
しまった・・・
ハァ
ハァ
地図《ちず》を見《み》た限《かぎ》りでは
こっちのルートの
方《ほう》が山頂《さんちょう》まで短《みじか》い
四葉《よつば》だけなら
負《ま》けるかも
しれないけど
三玖《みく》の体力《たいりょく》を
考慮《こうりょ》すれば私《わたし》の
方《ほう》が早《はや》く着《つ》く！

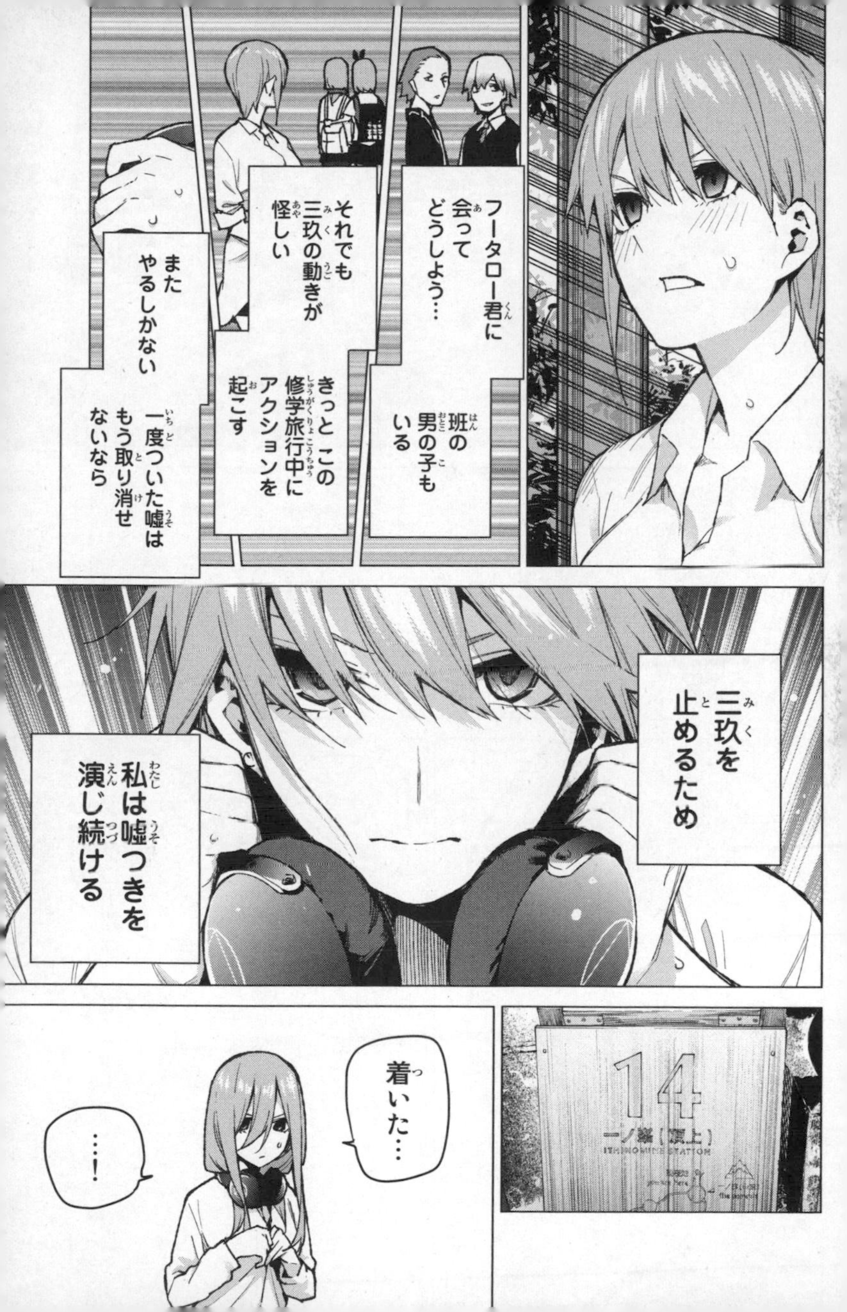

フータロー君《くん》に会《あ》ってどうしよう…
班《はん》の男《おとこ》の子《こ》もいる
それでも三玖《みく》の動《うご》きが怪《あや》しい
きっとこの修学旅行中《しゅうがくりょこうちゅう》にアクションを起《お》こす
またやるしかない
一度《いちど》ついた嘘《うそ》はもう取《と》り消《け》せないなら
三玖《みく》を止《と》めるため
私《わたし》は嘘《うそ》つきを演《えん》じ続《つづ》ける
14
着《つ》いた…
…!

白菊大神
…誰《だれ》もいない…
左《ひだり》ルートですれ違《ちが》わなかったということは…
やっぱりフータロー君《くん》はまだ右《みぎ》ルートの途中《とちゅう》…！
急《いそ》がなきゃ！
たっ
たっ
これだけ走《はし》ったんだから三玖《みく》たちはまだ…

え…

一花《いちか》…
なんで私《わたし》の変装《へんそう》してるの？
……
？
一花《いちか》？
何《なに》か理由《りゆう》があるなら
一花《いちか》

第《だい》81話《わ》 シスターズウォー 四回《かい》戦《せん》
上杉《うえすぎ》さん…
もしかして今《いま》の聞《き》こえて…
三玖《みく》！
はぁ…やっと頂上《ちょうじょう》だわ
！
三玖《みく》!?
三玖《みく》 待《ま》ってください
どこに行《い》くのですか!?

!
……
一《いち》花《か》
やったのね
あんた
いい加減《かげん》に
しなさいよ
あの子《こ》を
泣《な》かせて
これで
満足《まんぞく》?
す
待《ま》って
二乃《にの》
今《いま》のは
私《わたし》が…
四葉《よつば》
いいから
結果《けっか》は
どうであれ
私《わたし》がしようと
してたのは
こういうこと
だから

あんたどこまで…
二乃《にの》だけには言《い》われたくないなぁ
温泉《おんせん》で言《い》ってたじゃん
他人《たにん》を蹴《け》落《お》としてでも叶《かな》えたいって
私《わたし》と二乃《にの》の何《なに》が違《ちが》うの？
教《おし》えてよ
確《たし》かにそう言《い》ったわ 他《ほか》の誰《だれ》にも譲《ゆず》るつもりもない
でも
私《わたし》たち五人《にん》の絆《きずな》だって 同《おな》じくらい大切《たいせつ》だわ

たとえ あんたが 選《えら》ばれる日《ひ》が 来《き》たとしても
私《わたし》は…
祝福《しゅくふく》したかった…!
……っ
うぅっ… もう一歩《いっぽ》も 歩《ある》けねぇ…
全《まった》く… 下《した》のお店《みせ》で お昼《ひる》ご飯《はん》の 食《た》べ過《す》ぎだよ
あ? 何《なに》してんだ コラ
いや… 俺《おれ》にも何《なに》が なんだか…
たっ
お前《まえ》ら 一旦《いったん》 落《お》ち着《つ》け
!

うるさい！
あんたが来《く》るとややこしいわ
すぐに三玖《みく》を追《お》いかけなさい！
え…
早《はや》く！ダッシュ！
……
わかったよ…
ザワ
お前《まえ》ら悪《わる》いな先《さき》行《い》ってるぞ
ザワ
ああ…
ザワ
わ 私《わたし》も捜《さが》します！
なんだ？喧嘩《けんか》か？
学生《がくせい》が揉《も》めてるってよ
ザワ
ザワ
ザワ
私《わたし》たちも下《お》りるわよ
…うん

カランカーン
！
……
ザク
ザク
くそっ もう三玖《みく》はいないか…
五月《いつき》と電話《でんわ》が繋《つな》がりました！ 三玖《みく》と一緒《いっしょ》にバスに乗《の》ってるそうです！
……
上杉《うえすぎ》さん… さっき頂上《ちょうじょう》で私《わたし》の言《い》ったこと… 聞《き》こえてましたよね…？
京阪バス
稲荷大社前
そうか 俺《おれ》たちも乗《の》るぞ

聞《き》こえてねーよ
あ！
その反応《はんのう》絶対《ぜったい》聞《き》こえてます！
だから聞《き》こえてねーって
それでいいだろ
とはいえ…私《わたし》の不用意《ふようい》な発言《はつげん》で三玖《みく》を傷《きず》つけてしまったのは事実《じじつ》です
ずっと…あんなに一生懸命《いっしょうけんめい》頑張《がんば》ってたのに…
それに…一花《いちか》も家族旅行《かぞくりょこう》の時《とき》に私《わたし》が言《い》ったせいで…
……
そうだなお前《まえ》のせいだ
あんなこと…もっと周《まわ》りを見《み》てから言《い》え
やっぱ聞《き》こえてたんじゃないですか…

まぁ 知《し》ってたがな
え？
知《し》ってたって？
……
え？ 何《なに》をですか？
だから… その… あれだよ…
み 三玖《みく》が 俺《おれ》に…
好意《こうい》を抱《いだ》いてくれてたことだ

聞《き》き間違《まちが》いでしょうか？
もう一回《かい》
やめろ！ もう言《い》わねー！！
鈍感《どんかん》上杉《うえすぎ》さんが…信《しん》じられません…
……
まぁ色々《いろいろ》あったからな
だからあの三玖《みく》から応援《おうえん》と言《い》われた時《とき》は頭《あたま》が混乱《こんらん》した
あの三玖《みく》はあいつじゃねー 間違《まちが》ってなかったんだな
？
だから気《き》にすんな お前《まえ》は人《ひと》に気《き》を遣《つか》いすぎだ

ハッキリ言《い》って度《ど》が過《す》ぎている
あはは…
それはいいんです
落第《らくだい》した私《わたし》に皆《みんな》が付《つ》いてきてくれた話《はなし》前《まえ》にしましたよね
私《わたし》が 皆《みんな》を不幸《ふこう》に巻《ま》き込《こ》んじゃったんです
簡単《かんたん》に取《と》り返《かえ》せるものではありません
姉妹《しまい》の皆《みんな》が私《わたし》より幸《しあわ》せになるのは当然《とうぜん》です
そんなもんかね
この旅行《りょこう》も皆《みんな》に楽《たの》しんでほしかったのに…
上杉《うえすぎ》さん
皆《みんな》が幸《しあわ》せになる方法《ほうほう》ってないんでしょうか

あるぞ
！
人《ひと》と比較《ひかく》なんてせず個人《こじん》ごとに幸《しあわ》せと感《かん》じられる
もしそんなことができたら それはお前《まえ》の望《のぞ》む世界《せかい》だ
そ そうですよね！
それじゃあ
だが
現実的《げんじつてき》には…誰《だれ》かの幸《しあわ》せによって別《べつ》の誰《だれ》かが不幸《ふこう》になるなんて珍《めずら》しくもない話《はなし》だ
競《きそ》い合《あ》い奪《うば》い合《あ》い そうやって勝《か》ち取《と》る幸《しあわ》せってのもあるだろう
そんなこと言《い》ったら私《わたし》のできることなんて…
何《なに》もない
限度《げんど》があるんだ

おこがましいことなんじゃねーの？
全《すべ》てを得《え》ようなんてな
何《なに》かを選《えら》ぶ時《とき》は
何《なに》かを選《えら》ばない時《とき》
いつかは決《き》めなくちゃいけない日《ひ》がくる
いつかはな
わい
わい
わい

皆《みんな》聞《き》いて
盗撮犯《とうさつはん》に
追《お》われているわ
もぐ
もぐ
えっ
京都駅《きょうとえき》にいたころからずっと感《かん》じてたの
間違《まちが》いないわ
修学旅行生ねらった痴漢被害
京都市が注意喚起
修学旅行生《しゅうがくりょこうせい》がターゲットにされるって 前《まえ》にニュースで見《み》たもの
だとしてもなぜ二乃《にの》なのですか？
ど どういう意味《いみ》よ！

!!
やっぱり！
ご馳《ち》走《そう》だねー
インスタあげよー
それより三玖《みく》と一花《いちか》は…
結局《けっきょく》 日中《にっちゅう》は追《お》いつけなかったけど
ホテルに帰《かえ》ってきてはいるんだよね？
ええ 二人《ふたり》とも歩《ある》き疲《つか》れてしまったようで自室《じしつ》で休《やす》んでいます
同《おな》じ部屋《へや》にいるとは思《おも》えないけど
三玖《みく》もいきなり単独行動《たんどくこうどう》をしだしてどうしたのでしょう？
ガタン
やっぱり私《わたし》見《み》てくるよ！
待《ま》ちなさい

もうすぐ食《た》べ終《お》わるから
一緒《いっしょ》に行《い》くわよ
二乃《にの》…
私《わたし》は もう食《た》べ終《お》わってます！
何度《なんど》もすまない トマトも苦手《にがて》なんだが食《た》べてくれるかい？
おや？上杉君《うえすぎくん》 どうかしたかな？
あいつ…
前田《まえだ》はどうした？
長《なが》いトイレだね
じゃあ俺《おれ》も
ということは僕《ぼく》もだね
付《つ》いてくんな

コンコン
三玖《みく》ー 一花《いちか》ー いるんでしょー
鍵《かぎ》開《あ》けなさーい
……
反応《はんのう》なしですね…
電話《でんわ》も無視《むし》と…
私《わたし》たちの部屋《へや》でもあるんだけど
三玖《みく》！ごめん！
私《わたし》のせいで！

でも まだ
修学旅行《しゅうがくりょこう》は
二日《ふつか》あるんだよ
これから私《わたし》に
取《と》り返《かえ》させて
ほしいんだ
…………
四葉《よつば》は何《なに》も
悪《わる》くない
……
四葉《よつば》…
！
は はは…
二乃《にの》が変《へん》なこと
いうから私《わたし》まで
幻聴《げんちょう》が聞《き》こえて
きました…
そ そうよね
幻聴《げんちょう》よね
いくら
なんでも
ホテルの中《なか》
まで…

ゴゴゴゴゴゴゴゴ
カシャ
STANDARD
TYPE
入
キャアアアア

なんだ今《いま》の悲鳴《ひめい》!
何《なに》かあったの!?
!
…あ
ふぅ〜…
ここまで逃《に》げれば大丈夫《だいじょうぶ》…
今《いま》のは一体《いったい》…
ヨン
ーヨン
プルルル
ガチャ
二乃《にの》今《いま》の声《こえ》って…
やっと出《で》たわね
一花《いちか》お前《まえ》…
フータロー君《くん》…いいとこで会《あ》ったね
明日《あした》は時間《じかん》ある?
三玖《みく》あんた
明日《あした》はどうするつもり?

話《はな》したいことがあるんだけど

うう…
撮《と》らないでください…
ポウ…
第《だい》82話《わ》 シスターズウォー 五回戦《かいせん》

おー 駅《えき》まで見《み》える
うう… 落《お》ちたら どうしましょう…
柵《さく》は もっと 高《たか》いと思《おも》って ました
あはは 私《わたし》たちが 大《おお》きくなった ってことだよ
!!
なんちゃって
もー! やめてください!
ごめん ごめん
お前《まえ》ら 騒《さわ》がしいな

うおっ
久々《ひさびさ》に見《み》ると高《たか》く感《かん》じるな
あれ上杉君《うえすぎくん》…
二日目《ふつかめ》は団体行動《だんたいこうどう》ではありますが…お友達《ともだち》と一緒《いっしょ》じゃないのですか
ああ 三玖《みく》に用《よう》があってな
お前《まえ》らと一緒《いっしょ》にいると思《おも》ったんだが
!
三玖《みく》ならここにはいません
一花《いちか》と二乃《にの》は二人《ふたり》とも二年《ねん》の頃《ころ》のお友達《ともだち》と見《み》て回《まわ》るそうです
そして三玖《みく》はまだ体調《たいちょう》が優《すぐ》れないようでホテルで休《やす》んでいます
三玖《みく》のことは気《き》になりますがそういう理由《りゆう》で私《わたし》たち二人《ふたり》でお送《おく》りしております
半分以下《はんぶんいか》は寂《さび》しいな
……

た たまには いいじゃ ないですか
ほら せっかくの 清《きよ》水《みず》寺《でら》ですよ
五月《いつき》？
上杉君《うえすぎくん》も この景色《けしき》を 見《み》てください 絶景《ぜっけい》ですよ
お 押《お》すなよ 危《あぶ》ねぇって
ふふっ こんなのが 怖《こわ》いんですか？ 男《おとこ》の子《こ》 なのに
あっ？ ぜ 全然《ぜんぜん》 怖《こわ》くない ですけど〜？ お前《まえ》の方《ほう》が 実《じつ》は ビビってん じゃねーの？
な 何《なに》を 言《い》うん ですか！ あ！ そうです

ツーショット写真《しゃしん》を撮《と》りましょう!
ここで!
はぁ?
なんでだよ!
四葉《よつば》お願《ねが》いします
いいけど…
……やるなら早《はや》くしてくれ
は はいっ お手数《てすう》おかけします!
ギュゥゥゥ
うわ~…
私《わたし》は なんて大胆《だいたん》なことをしてるのでしょう!

しかし！
ここまですれば
上杉君《うえすぎくん》も六年前《ねんまえ》のことを
思《おも》い出《だ》してくれるはず！
……
そういや
あの写真《しゃしん》も
ここで撮《と》ったん
だっけ
それから
あの売店《ばいてん》で
あの子《こ》がお守《まも》りを
五《いっ》つも買《か》って…
ああ　あれは
川《かわ》で流《なが》れて
いったっけ…
そうか…!!
どうしました？
何《なに》か思《おも》い
出《だ》しましたか？
ご迷惑《めいわく》
おかけします
いいのよ
せっかくの
修学旅行《しゅうがくりょこう》なのに
残念《ざんねん》だったわね

もう少《すこ》し 部屋《へや》で 休《やす》んでます
ええ また 元気《げんき》に なったら 教《おし》えて
あ そうだ
このホテルで 盗撮《とうさつ》があった みたいだから 気《き》をつけて
……
ありがとう ございます
知《し》りがたき こと 陰《かげ》の如《ごと》く
だっけ？
何《なに》 してるの 二乃《にの》

あんたの真似《まね》よ
二《ふた》つの意味《いみ》でね
流石《さすが》に姉妹《しまい》二人《ふたり》も仮病《けびょう》は怪《あや》しまれるわ
次《つぎ》の点呼《てんこ》は…うん まだ余裕《よゆう》があるわ
なんでここに来《き》たのか聞《き》いてるんだけど…
電話《でんわ》でも言《い》ったでしょ あんたと二人《ふたり》で話《はなし》があるの
……
慰《なぐさ》めならいらない
はぁ?
そんなことするわけないじゃない

恋《こい》のライバルが勝手《かって》に手《て》を引《ひ》いてくれたんだもの
私《わたし》にとってはラッキー以外《いがい》の何物《なにもの》でもないわ
あとは一花《いちか》を倒《たお》すだけね
あの女狐《めぎつね》め…どうしてやろうかしら ってことで
私《わたし》がフー君《くん》をもらってく それでいいわね
フー君《くん》… 二乃《にの》はいつから…
何《なに》よ まさか自分《じぶん》の方《ほう》が早《はや》かったから譲《ゆず》れって言《い》いたいの？
そ そういうわけじゃ…

そりゃ あんたが 一番《いちばん》だったかも しれないわね
愛《あい》に時間《じかん》は関係《かんけい》ないなんて言《い》えるほど 私《わたし》も まだよく わからないわ
こんなの 初《はじ》めて だもの
何《なに》が正《ただ》しくて 何《なに》が間違《まちが》ってるか なんて 全《まった》く わからないのよ
確《たし》かなのは 誰《だれ》よりも私《わたし》が 彼《かれ》を好《す》きなこと

私《わたし》だって…諦《あきら》めてない
せっかくの修学旅行《しゅうがくりょこう》で接近《せっきん》するチャンスをこんな部屋《へや》に閉《と》じ籠《こ》もってふいにしてる時点《じてん》で諦《あきら》めたようなものよ
あんたのターンはおしまいご苦労様《くろうさま》
諦《あきら》めたくない!
こうなるってわかってたはずなのに…
いざ自分《じぶん》の気持《きも》ちがフータローに知《し》られたら私《わたし》なんかじゃダメだって思《おも》えてきて
でも怖《こわ》い
私《わたし》なんかがフータローから好《す》かれるわけないよ

公平《こうへい》に戦《たたか》うことがこんなに怖《こわ》いなんて思《おも》わなかった
なんで負《ま》ける前提《ぜんてい》なのよ そこからして気持《きも》ちで負《ま》けてるのよ
だって相手《あいて》は あの一花《いちか》だもん
可愛《かわい》くて社交的《しゃこうてき》で男子《だんし》から人気《にんき》で自分《じぶん》の夢《ゆめ》を持《も》つ強《つよ》さもある
私《わたし》が男子《だんし》でも一花《いちか》を選《えら》ぶ
それに二乃《にの》だって…
!

それは
どうも…
ま 私《わたし》が
可愛《かわい》いなんて
わかりきってた
ことだけど!
それだけに
私《わたし》の告白《こくはく》を
即《そく》OKしなかった
あいつが変《へん》なんだわ
どれだけ勇気《ゆうき》を
ふりしぼった
ことか…
って返事《へんじ》を
先延《さきの》ばさせたの
私《わたし》の方《ほう》だけど…
でも
ムカツク
──っ!
告白《こくはく》
まで…
やっぱり
すごいよ
二乃《にの》は
やっぱ
あんたはまだ
してないのね
あんな朴念仁《ぼくねんじん》は
言《い》わなきゃ
わからないわよ
一応《いちおう》…
したことは
ある…
不発《ふはつ》だった
けど…

でももう今《いま》はそんな自信《じしん》湧《わ》いてこない
テストで一番《いちばん》になったら
美味《おい》しいパンが焼《や》けたら
そうやって先延《さきの》ばしにしてたのは私《わたし》
一花《いちか》も…誰《だれ》も悪《わる》くない
自業自得《じごうじとく》
あっそ
じゃあそうやっていつまでも塞《ふさ》ぎ込《こ》んでいなさい
うじうじうじうじと…
やっぱりあんたとはソリが合《あ》わないわ
それでも…

私《わたし》はあんたをライバルだと思《おも》ってたわ
！
私《わたし》とあんたじゃ勝負《しょうぶ》にならない？
はぁ？恋敵《こいがたき》って言《い》ったわよね
私《わたし》が可愛《かわい》いのはあっさり認《みと》めたくせに
何《なに》それ！
冷静《れいせい》に考《かんが》えなさいよ
五《いつ》つ子《ご》よ

あんたも可《か》愛《わい》いに決《き》まってんじゃん！

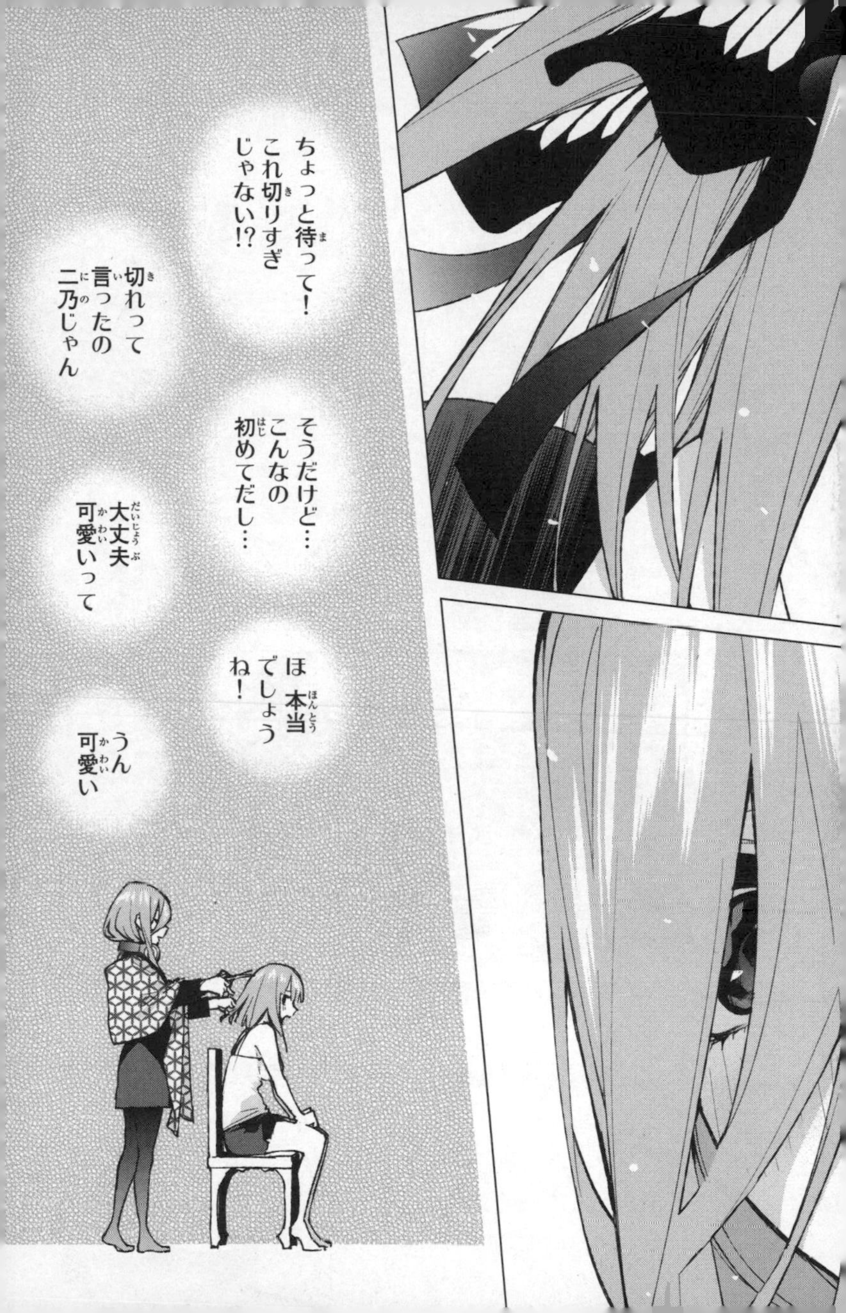
ちょっと待《ま》って！ これ切《き》りすぎじゃない!?
切《き》れって言《い》ったの二《に》乃《の》じゃん
そうだけど… こんなの初《はじ》めてだし…
大丈夫《だいじょうぶ》 可愛《かわい》いって
ほ 本当《ほんとう》でしょうね！
うん 可愛《かわい》い

じゃあね！
バダン
二乃《にの》…
ごめん…
えんむすびお守り
GOOD CHARMS
五月《いつき》～ 恋《こい》のお守《まも》り だって 可愛《かわい》いね～
三玖《みく》に 買《か》っていって あげようよ
あの… 上杉君《うえすぎくん》は どこへ…
良縁祈願
恋占いおみくじ
おみくじ
いつの間《ま》にか いなく なっちゃって たね
きっと お友達《ともだち》のとこに 戻《もど》ったんだよ
せっかくの チャンス なのに…
どうしま しょう…
五月《いつき》…

何《なに》か 私《わたし》に 隠《かく》してる?
……っ
たっ たっ たっ
お おいっ
どこ連《つ》れてく気《き》だ
いいから こっち来《き》て
急《きゅう》に どうしたんだよ…
……

三《み》玖《く》
三《み》玖《く》の話《はなし》を聞《き》いてあげてよ
三《み》玖《く》がフータロー君《くん》を好《す》きだと知《し》られたままじゃ私《わたし》の嘘《うそ》に矛《む》盾《じゅん》ができてしまう
使《つか》えるものはなんでも使《つか》う
私《わたし》には もう こうするしかないんだ
この戦《たたか》いに勝《か》つために！
ゴロロ…

第《だい》83話《わ》 シスターズウォー 六回《かい》戦《せん》
ここは…
来《き》たことあるでしょ?
ああ…
小学生《しょうがくせい》の頃《ころ》にな
小学生《しょうがくせい》の頃《ころ》?
あの日《ひ》のことは今《いま》でも思《おも》い出《だ》せる
俺《おれ》は あの日《ひ》 あの子《こ》…零奈《れな》に振《ふ》り回《まわ》されるがまま辺《あた》りを散策《さんさく》した
俺《おれ》を必要《ひつよう》と言《い》ってくれた彼女《かのじょ》との旅《たび》が楽《たの》しくないはずがない

気《き》がつけば陽《ひ》は落《お》ち夜《よる》となっていたんだ
それでどうしたの？
学校《がっこう》の先生《せんせい》が迎《むか》えにきてくれることになったんだ
零奈《れな》が泊《と》まってた旅館《りょかん》の空《あ》き部屋《べや》で待《ま》たせてもらった
そこではトランプしてたっけ
担任《たんにん》にはこっぴどく叱《しか》られたがな
今《いま》となってはいい思《おも》い出《で》だ
その子《こ》は・
もういいだろ
え？
お前《まえ》に何《なに》か意図《いと》があるのではと思《おも》い話《はな》しただけだ
だが もうめんどくせぇ

お前《まえ》に付《つ》き合《あ》うのもここまでだ
三玖《みく》…いや
一花《いちか》
え…?
えっ ちょっと なんで急《きゅう》に
ええっ!?
勘《かん》
これまでの状況《じょうきょう》を考《かんが》えたらな
お前《まえ》の可能性《かのうせい》が一番高《いちばんたか》い
ち 違《ちが》うから ハズレ!
残念《ざんねん》でした!
それに
お前《まえ》らのミニコーナーに付《つ》き合《あ》う義理《ぎり》もない

ほら
正解《せいかい》だ
……っ
ゴロロロ…
ポッ
ポッ
このタイミング…
先日《せんじつ》学校《がっこう》の廊下《ろうか》で会《あ》った三玖《みく》の正体《しょうたい》もお前《まえ》で間違《まちが》いないな?
ザ
ザ
ザ
あ あれは私《わたし》じゃ…
なぜ俺《おれ》にあんな嘘《うそ》をついた

ザァァァァ
さっきの話《はなし》…
フータロー君《くん》は知《し》ってるんじゃない？
六年《ねん》前《まえ》のその子《こ》が私《わたし》たち五人《にん》の誰《だれ》かだって…
…ああ
…私《わたし》だよ
私《わたし》…
私《わたし》だよ…
私《わたし》たち 六年《ねん》前《まえ》に会《あ》ってるんだよ…

嘘《うそ》じゃないよ…
信《しん》じて…
……
おーい そこの二人《ふたり》! 見学《けんがく》は中止《ちゅうし》! ホテルに戻《もど》るぞ!
六年前《ねんまえ》 俺《おれ》と ここで買《か》った お守《まも》りを 覚《おぼ》えているか?
えっ うん!
今《いま》でも 持《も》ってるよ
忘《わす》れるわけないよ…
嘘《うそ》なんだな
すまん 今《いま》は お前《まえ》を 信《しん》じられない
風邪《かぜ》ひく前《まえ》に 帰《かえ》るぞ

ひとまず着《き》替《か》えて各班《かくはん》部屋《へや》で晴《は》れるまで待機《たいき》だ
え〜
せっかく京都《きょうと》来《き》たのに〜
予報《よほう》は晴《は》れだったよな〜
雨男雨女《あめおとこあめおんな》がいるな許《ゆる》さねぇぞコラ
上杉君《うえすぎくん》どこにいたんだい？
まぁ…ちょっとな
…
ははは さては迷子《まいご》だね
つーか明日《あした》どうするよ
……

シャーー
キュッ
シャワー空《あ》いたよ
先《さき》頂《いただ》いてごめんね

で では次《つぎ》四葉《よつば》どうぞ…
うぅ〜下着《したぎ》までグッショリ…
行《い》かなくて正解《せいかい》だったわ
……
わぁ五月《いつき》ちゃんこれ攻《せ》めてるね着《き》ないの？
こ これは違《ちが》うんです！
身《み》の丈《たけ》に合《あ》わないので捨《す》ててしまいます！
一花《いちか》
三玖《みく》に言《い》うことあるんじゃないの？

あ…
ごめんね
一花《いちか》
コンコン
入《はい》るぞ
！

ガチャ
五班《はん》 全員《ぜんいん》いるか？
連絡事項《れんらくじこう》 三十分後《ぶんご》 二階《かい》の大広間《おおひろま》に 集合《しゅうごう》だそうだ
なぜ あなたが…
一応《いちおう》 学級長《がっきゅうちょう》 だからな
お前《まえ》ら…
ト トイレー！
タタタタ
バタン
……
お前《まえ》ら まだ揉《も》めてんのか
ちょっと 俺《おれ》に 話《はな》してみろ
えっ いや…
これは…

ふーー
スッキリ
したーー!
……
たたいした
こと
ないよね
ええ!
こんなの
姉妹《しまい》じゃ
日常茶飯事《にちじょうさはんじ》よ
じょ じょ
じょーしき
ですよね
なら
いいが…
とにかく
三十分後《ぶんご》な
明日《あした》の選択《せんたく》コースも
そこで決《き》める
らしいから
考《かん》えておけよ
!
バタン
……

ごめん 勝手《かって》なこと言《い》って
いいわよ フー君《くん》に心配《しんぱい》されるのは一番《いちばん》避《さ》けたいもの
あんたもすぐ逃《に》げんじゃないわよ
だって…
三玖《みく》…いつまでもそうはしていられませんよ
……
みんなハッキリさせよう
私《わたし》たちは ずっとフータロー君《くん》と二人《ふたり》きりになる機会《きかい》を窺《うかが》ってる
私《わたし》は班決《はんぎ》めの時《とき》から そう言《い》ってるわ
五月《いつき》 あんたもなの?
……
否定《ひてい》はできません…
このままじゃ誰《だれ》の目的《もくてき》も叶《かな》うことはない
それは全員《ぜんいん》が望《のぞ》む所《ところ》じゃないはず

あんたがそれを言《い》うのね…
四葉《よつば》も聞《き》いて
もういないよね…
最終日《さいしゅうび》コース別《べつ》体験学習《たいけんがくしゅう》
3日目選択別コース
Bコース 名庭巡り
Cコース 茶道体験
Dコース 織田信長のゆかりの地巡り
Eコース 太秦映画村
8:00 ホテル玄関前集合 8:30～9:30
8:00 ホテル玄関前集合 8:20～9:00
8:00 ホテル玄関前集合
五《いつ》つのメニューから一《ひと》つを選《えら》んで各地《かくち》に赴《おもむ》くカリキュラムなのは知《し》ってるよね
私《わたし》たちはそれぞれ一《ひと》つずつ選択《せんたく》するのはどう?
A
B
C
D
E
チャンスを得《え》るのは偶然《ぐうぜん》フータロー君《くん》と同《おな》じコースになった人《ひと》だけ
最後《さいご》は運《うん》に任《まか》せよう

賛成《さんせい》！
これなら恨《うら》みっこなしだね――！
私《わたし》は嫌《いや》！
何《なに》よ散々《さんざん》出《だ》し抜《ぬ》き合《あ》ってきたくせに
あんたはいいの？
たった五分《ぶん》の一《いち》よ
今《いま》は…どんな顔《かお》してフータローに会《あ》えばいいかわからない
だから低《ひく》い確率《かくりつ》の方《ほう》がいい…
私《わたし》は…これが最善《さいぜん》だと思《おも》います
最初《さいしょ》からこうするべきだったんです
はぁ…
指差《ゆびさ》しでいいわね
どうせいつもみたいにバラけるわ
せーのっ

名前
中野一花（E）コース
おい 上杉《うえすぎ》
明日《あした》のコース選択《せんたく》どうすんだよ
やっぱりEにしようぜ
そんなつもりで言《い》ったんじゃないよ
私《わたし》は祝福《しゅくふく》したかった…！
一《いち》花《か》
ごめんね

もう最終日《さいしゅうび》かよ～
晴《は》れて良《よ》かったね
昨日《きのう》の分《ぶん》まで楽《たの》しもうぜ
Aコースの生徒《せいと》は集合《しゅうごう》！
キョロ
キョロ
A

やっぱり…
運任《うんまか》せなんて するんじゃ なかったわ
Bコース 選択者《せんたくしゃ》は こっちだ
上杉《うえすぎ》さーん いません よねー?
C
……
D
私《わたし》 適当《てきとう》に 選《えら》んじゃったけど Dって どこ 行《い》くんだっけ?
ほら 本能寺《ほんのうじ》とか 武将《ぶしょう》の墓《はか》とか 歴史系《れきしけい》だよ
えー! 興味《きょうみ》ないん ですけど!
ちゃんと 確認《かくにん》 しないと…
あ
あなたも 日本史《にほんし》が 好《す》きなんだね

一《いち》花《か》さん
……お腹《なか》痛《いた》ぁ…
E
Eコースはこっちよ出発《しゅっぱつ》するわよ

あ

第《だい》84話《わ》 シスターズウォー 七回戦《かいせん》
修学旅行最終日《しゅうがくりょこうさいしゅうび》 Eコースを選択《せんたく》された皆《みな》さま
本日《ほんじつ》の目的地《もくてきち》
映画村《えいがむら》に到着《とうちゃく》でございます
ここにいるのは一花《いちか》のはずだったのに…
やっぱDコースがいいなー 三玖《みく》交換《こうかん》しようよ
面白《おもしろ》かったねー
私《わたし》と選択《せんたく》コースを取《と》り替《か》えなんてなんで言《い》い出《だ》したんだろ
この後《あと》お昼過《ひるす》ぎまで見《み》て回《まわ》れるらしいね
どこ行《い》くんだコラ
！

……
あ 中野《なかの》さん また会《あ》ったね
!
ははっ また逃《に》げられちゃった
嫌《きら》われてんじゃね?
だっ だっ
!
三玖《みく》! 止《と》まっ…
あっ
おい 大丈夫《だいじょうぶ》か
すみません
ちゃんと前見《まえみ》ないと危《あぶ》ないだろ

二乃《にの》ごめん
やっぱり無理《むり》だよ…
気《き》まずい…
じゃじゃあね
あ
おい！
戦国武将《せんごくぶしょう》の着付《きつ》け体験《たいけん》いかがですかー？
……

着《き》付《つ》け体験《たいけん》だとよ
コスプレとか
恥《は》じぃだろ…
いいじゃないか
郷《ごう》に入《い》っては
郷《ごう》に従《したが》え
上杉君《うえすぎくん》も
当然《とうぜん》する
だろ？
しないが
似合《にあ》うと
思《おも》うのに
もったいない
……
中野《なかの》さんも
そう思《おも》うよね
時代劇
扮装の館

どういうことだ…
武将《ぶしょう》の衣装《いしょう》なんてなかった上《うえ》 前田《まえだ》と武田《たけだ》の着替《きが》えが激遅《げきおそ》い
待《ま》ってると言《い》ってた三玖《みく》もいなくなってるし…
やっぱ行《い》っちまったかな 初日《しょにち》の件《けん》もあるし当然《とうぜん》の反応《はんのう》といえば当然《とうぜん》…

なんだ やっぱ お前《まえ》も 着替《きが》えたか
そのつもりはなかったんだけど… なぜか係《かかり》の人《ひと》がノリノリで… あれよあれよと言《い》う間《ま》に…
こちらをご用意させていただきました
変《へん》… じゃない？
っ…… まぁ似合《にあ》ってる
！
お お友達《ともだち》は…？
そ それが来《こ》ねーんだよ
ったく しょーがねー奴《やつ》らだ
え？ あの二人《ふたり》 私《わたし》が着替《きが》える前《まえ》に もう出《で》てきたけど
は？
待《ま》ちきれず行《い》っちまったってか？
電話《でんわ》してみたら？
そうさせてもらう

番号《ばんごう》知《し》らんわ…
本当《ほんとう》にお友達《ともだち》…?
そう遠《とお》くまで行《い》ってないと思《おも》うんだが
最悪《さいあく》迷子《まいご》センターだな
三玖《みく》
捜《さが》すの手伝《てつだ》ってくれないか?
流石《さすが》にこの衣装《いしょう》で一人《ひとり》で歩《ある》く勇気《ゆうき》はないかと言《い》ってずっと二人《ふたり》きりも嫌《いや》だろ?
早《はや》いとこ見《み》つけて楽《たの》しもうぜ
三日目《みっかめ》の思《おも》い出《で》が人捜《ひとさが》しだけなんて虚《むな》しいもんな
う うん

日本橋
江戸屋

フータロー写真《しゃしん》撮《と》って!
引《ひ》っ込《こ》んじゃう!
ったくしゃーねーな
ドン
うおっ
あ
ジャポーン
せっかく着替《きか》えたのに!
私《わたし》に注意《ちゅうい》したくせにフータローこそ周《まわ》りに注意《ちゅうい》してよ
だから何度《なんど》も謝《あやま》ってるだろ
おかしいなぁ…俺《おれ》も押《お》された気《き》がするんだが…

係《かかり》の人《ひと》にも俺《おれ》から謝《あやま》ってくるから
お前《まえ》は今《いま》のうちに着替《きが》えておけよ
うん
って いつの間《ま》にか普通《ふつう》に話《はな》せてる…
色々《いろいろ》あったのに不思議《ふしぎ》
フータローといると細《こま》かいことなんて忘《わす》れてしまいそう
例《たと》えば…
そう
下着《したぎ》まで水《みず》に濡《ぬ》れちゃってることとか…
どうしよう…
本当《ほんとう》にどうしよう… こんなの着《き》れない…
このままじゃ… 係《かかり》の人《ひと》〜
あ タイツがあるそれなら…
って無理《むり》無理《むり》無理《むり》!
すっ
!

お困りでしたら
お使いください
え？これ…
下着屋《したぎや》さんの紙袋《かみぶくろ》…
誰《だれ》…？
係《かかり》の人《ひと》…かな？
ありがたく使《つか》わせてもら…
おっ…

あいつら見《み》つかんねーな
どこ行《い》ったんだか…
ドッ
ん？どうした三玖《みく》
ビュウウウ
わっ
風《かぜ》強《つよ》いねー
〜〜〜ッ！
疲《つか》れちゃった… 少《すこ》し座《すわ》ろう…

目《め》まぐるしくて… あっという間《ま》の 三日間《みっかかん》だったね
だな
私《わたし》は実質《じっしつ》 二日《ふつか》 だったけど
でも いいんだ 最後《さいご》に フータローと 過《す》ごせた それだけで
三玖《みく》…
なんだ それ
?
え!
なんで 私《わたし》のパンが こんな所《ところ》に…
へえ お前《まえ》が作《つく》って 来《き》たのか
ドキ ドキ
そう… だけど… これは初日《しょにち》に なくしたはず… なんで ここに…

腹減《はらへ》ったし
一個《こ》貰《もら》うな
!
あっ…
ヘタン…
それはもう…!
モグモグ
ゴクン
うまい
って 俺《おれ》
味音痴《あじおんち》らしくてな
正直《しょうじき》
自信《じしん》はない
もしかしたら
このパンは
まずいのかも
しれない
だから
ろくな感想《かんそう》も
言《い》えないん
だが

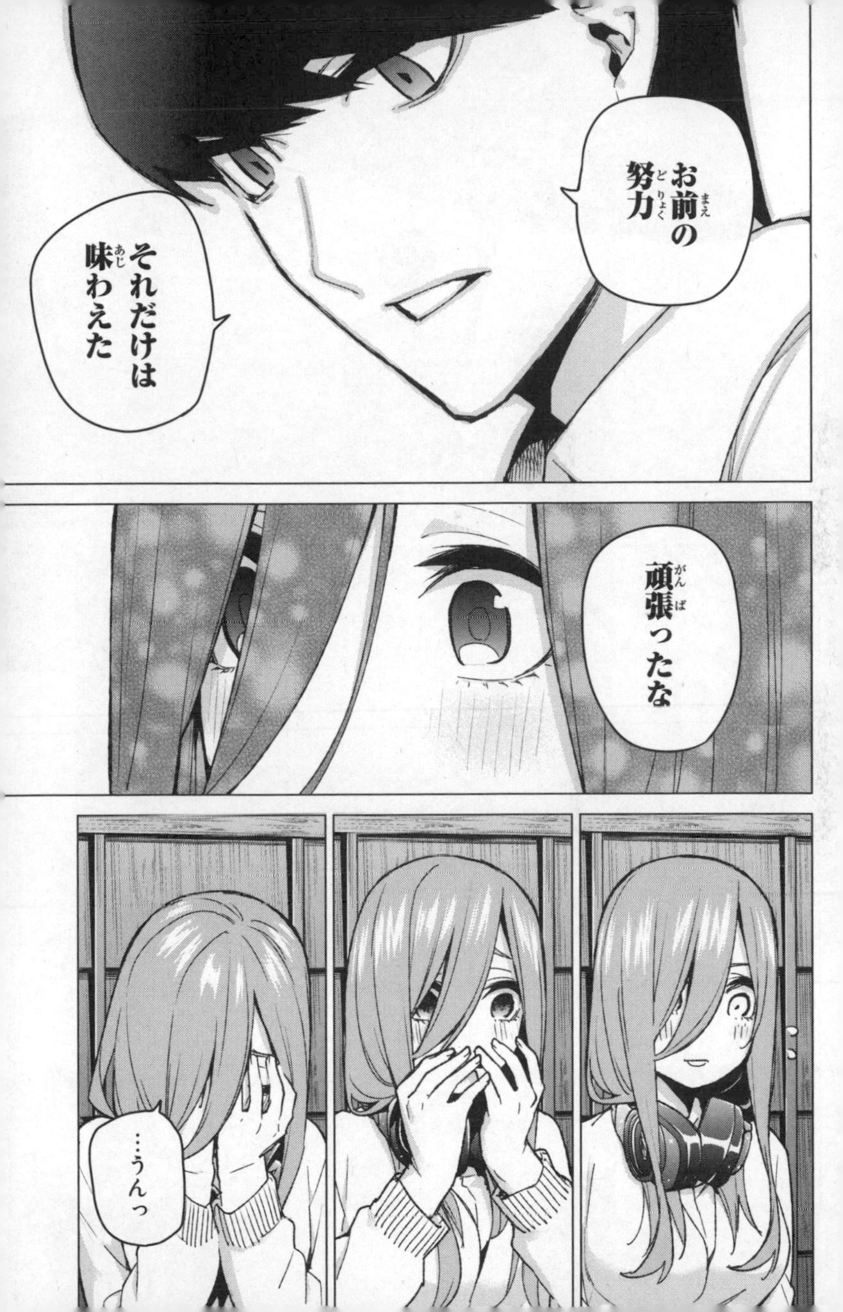
お前《まえ》の努《ど》力《りょく》
それだけは味《あじ》わえた
頑《がん》張《ば》ったな
…うんっ

私《わたし》頑張《がんば》ったんだよ
お袋《ふくろ》が昔《むかし》焼《や》いてくれてたんだ
六歳《さい》の頃《ころ》死《し》ぬまでパンを毎日《まいにち》
なぜか今《いま》それを思《おも》い出《だ》した
!
フータローのお母《かあ》さん…
小《ちい》さな個人喫茶《こじんきっさ》でも出《だ》す 人気《にんき》手作《てづく》りパンでな
俺《おれ》も親父《おやじ》も大好《だいす》きな…
って今《いま》は俺《おれ》の話《はなし》なんかどうでもいいか
ううん!
もっと教《おし》えてほしい!

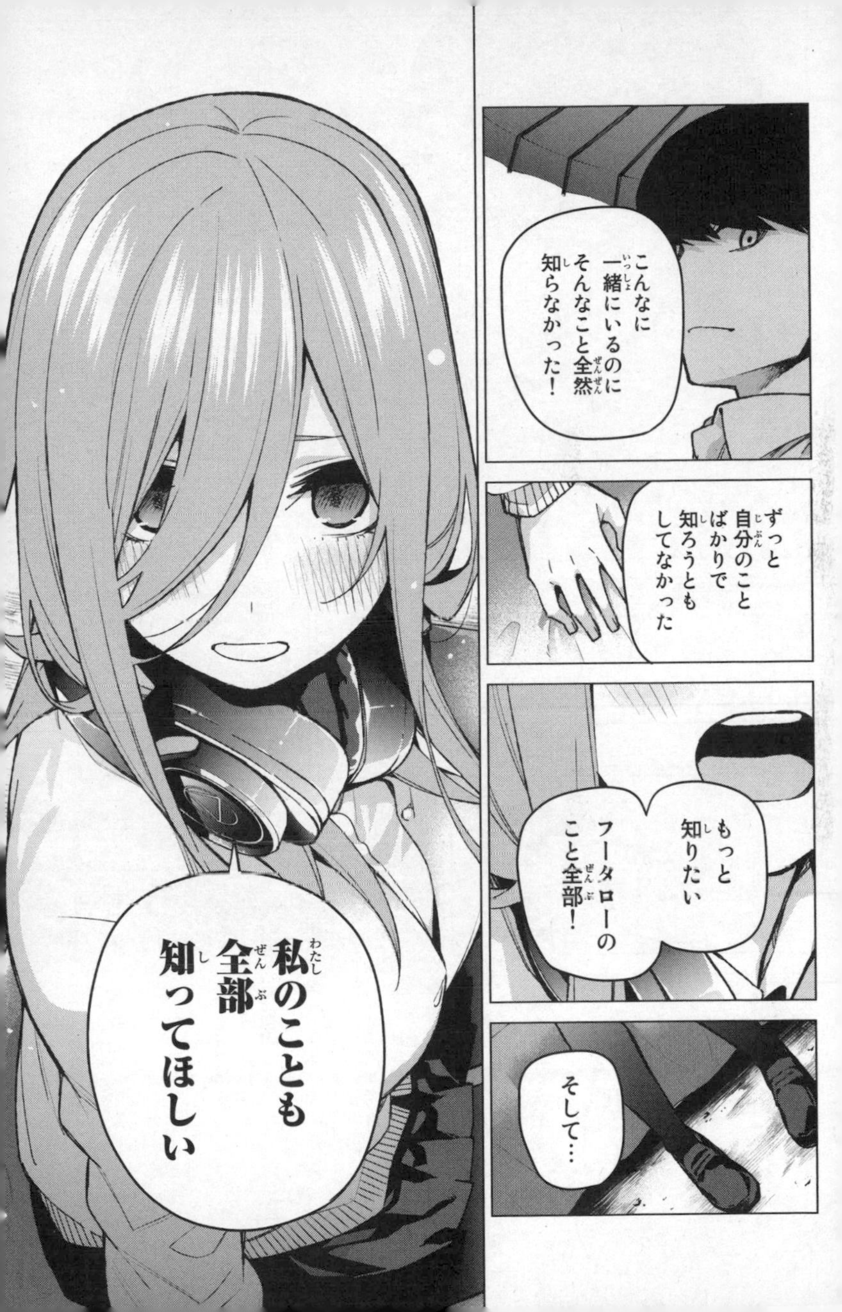
こんなに一緒《いっしょ》にいるのにそんなこと全然《ぜんぜん》知《し》らなかった！
ずっと自分《じぶん》のことばかりで知《し》ろうともしてなかった
もっと知《し》りたいフータローのこと全部《ぜんぶ》！
そして…
私《わたし》のことも全部《ぜんぶ》知《し》ってほしい

あれ！
お奉行所《ぶぎょうしょ》として時代劇《じだいげき》にも使《つか》われてる名《めい》スポット
今日《きょう》はあそこを見《み》れただけで満足《まんぞく》
Dコースほどじゃないけどここにも私《わたし》の好《す》きなものがたくさんある
お前《まえ》はそうだろうな
知《し》ってる
さっき渡《わた》った大《おお》きな橋《はし》も好《す》き
またドラマか？
うんそれとね

あれも好《す》き
あれも好《す》き
これも好《す》き
いや多《おお》すぎるだろ
知《し》ってたが

好《す》き

ああ
知《し》ってるぞ

第《だい》85話《わ》 シスターズウォー 七回戦《かいせん》(裏《うら》)

三玖《みく》… こんなことで許《ゆる》されるとは思《おも》ってないけど
あ また逃《に》げようとしてる…
何《なに》か興味《きょうみ》の引《ひ》けそうなものは…
あれだ!
戦国武将《せんごくぶしょう》の着付《きつ》け体験《たいけん》いかがですか――!
!!
一花《いちか》 なんで…!?
二乃《にの》こそ……
私《わたし》はせめてあの二人《ふたり》を見守《みまも》ろうと仮病《けびょう》を使《つか》って…
あんた まさか また あの子《こ》の邪魔《じゃま》しに…
ち 違《ちが》う! 私《わたし》も腹痛《ふくつう》で抜《ぬ》けてきたの!

って言《い》っても信《しん》じてもらえないと思《おも》うけど…
私《わたし》のしたことは許《ゆる》されないとしても
最終日《さいしゅうび》が終《お》わる前《まえ》に少《すこ》しでも罪滅《つみほろ》ぼしをさせてほしいんだ
きっと これが私《わたし》たちの最後《さいご》の旅行《りょこう》だから
！
あんたまさか…
ガサガサ
あれ！
一花《いちか》と二乃《にの》もいる！
結局《けっきょく》皆《みんな》Eコースに集《あつ》まってしまいましたね…
あんたたちまで…
全《まった》く…誰《だれ》もルールを守《まも》ってないじゃない
あ

三玖《みく》たちが移動《いどう》するみたいだよ
と とりあえず付《つ》いて行《い》きましょう
はい！
よーし 皆《みんな》で三玖《みく》をサポートしよう！
時代劇
扮装の館
着付《きつ》け…でしょうか
フー君《くん》は絶対《ぜったい》似合《にあ》うわ なんせ顔《かお》が良《い》いんだもの
最初《さいしょ》はタイプじゃないとか言《い》ってなかったっけ？
え 何《なに》それ そんな大昔《おおむかし》の私《わたし》なんて覚《おぼ》えてないわ
そ そうなのですか？
一花《いちか》がフー君《くん》と会《あ》った初日《しょにち》から気《き》にかけてたのは覚《おぼ》えてるけど
はは… 気《き》のせいだよ
だって あれを思《おも》い出《だ》したのはあの日《ひ》の夜《よる》だから…

……
二乃《にの》どうかしましたか？
やっぱあの男二人《おとこふたり》が邪魔《じゃま》ね
ちょっと私《わたし》が何《なん》とかしてくるわ
え…
なんとかって…
せっかくだし一花《いちか》は三玖《みく》に着付《きつ》けさせるように仕向《しむ》けなさい
ザッ!!
し仕向《しむ》けるってどうやって…
そりゃあもう…
得意《とくい》でしょ？三玖《みく》の変装《へんそう》
……
いじわる…
すみません

やっぱり私《わたし》も着《き》付《つ》けお願《ねが》いしていいですか？
ええ！どちらの衣装《いしょう》にいたしましょう？
じゃあこの可愛《かわい》いやつで
ご用《よう》意《い》いたしますので少々《しょうしょう》お待《ま》ちください！
ガーアッ!!
うおぉっ
上杉君《うえすぎくん》…本当《ほんとう》にここにいるのかい？
ヒィ〜ッ！
パンパン
史上最恐のお化け屋敷
誘導成功《ゆうどうせいこう》
ニ

一花《いちか》も上手《うま》くやったみたいね
ふーん…お似合《にあ》いじゃない
わっ フータロー写真《しゃしん》撮《と》って!
引《ひ》っ込《こ》んじゃう!
ったくしゃーねーな
た
た

ぎゅっ
譲《ゆず》ったわけじゃないんだから…
うおっ
ジャポーン
あ
あ…
えっ 何《なに》が起《お》きたのですか？
わー
わー
よくわかんないけど誰《だれ》かが池《いけ》に落《お》ちたみたい…
もしかして三玖《みく》…？
今《いま》走《はし》ってたの まさか二乃《にの》…？

やっぱり三玖《みく》みたいですね…
あんなに濡《ぬ》れて昨日《きのう》の私《わたし》たちみたい…
下着《したぎ》どうするんだろ
!
このままじゃ三玖《みく》がノーパンデートだよ!
ここって売《う》ってるんでしょうか?
ふ ふんどしとか…?
よ 四葉《よつば》の俊足《しゅんそく》でお店《みせ》見《み》てきて!
で でもふんどしはさすがに…
最悪《さいあく》 隠《かく》せたらなんでもいいよ!
あ
あの
その…私《わたし》…変《へん》な話《はなし》ですが何《なに》かあるといけないと思《おも》って…
なぜ……
下着《したぎ》を一セット持《も》っています
おっ…
すたすたすたすた

整備中につき
関係者以外立入禁止
ガコーン
かたじけない。
これでよし
二乃《にの》
ごめん 遅《おく》れたわ
今《いま》どう なってる?
多分《たぶん》 いい感《かん》じだよ
四葉《よつば》…
これから どうしましょう…
あ そうだ
って あれっ
三玖《みく》のパン 拾《ひろ》ったのに ホテルに忘《わす》れてきちゃった!
ええっ!? パパン!?

大丈夫《だいじょうぶ》だよ
これを三玖《みく》に渡《わた》せば良《い》いんだね
あのパンって…三玖《みく》が作《つく》ったんでしょ
うん…修学旅行初日《しゅうがくりょこうしょにち》に上杉《うえすぎ》さんのために私《わたし》もずっと味見役《あじみやく》をやってて…
あんなことがなければ…
あ
ってごめん！一花《いちか》を責《せ》めてるんじゃなくて…

……とにかくごめん
？
私《わたし》…全員《ぜんいん》が幸《しあわ》せになってほしくていつも消極的《しょうきょくてき》になってる子《こ》を応援《おうえん》してたのかも…こうなるって少《すこ》し考《かん》えたらわかるはずなのに…
だから一花《いちか》の本当《ほんとう》の気持《きも》ちに気《き》づいてあげられなかった
だからごめん
私《わたし》…謝《あやま》られてばっかだ
一番《いちばん》謝《あやま》る必要《ひつよう》があるのは私《わたし》なのに…

私《わたし》のことも全部《ぜんぶ》知《し》ってほしい
!!
……
三玖《みく》ごめんね
ずっと邪魔《じゃま》してごめん
フータロー君《くん》
嘘《うそ》ついてばかりでごめんなさい
だけどあのことは…

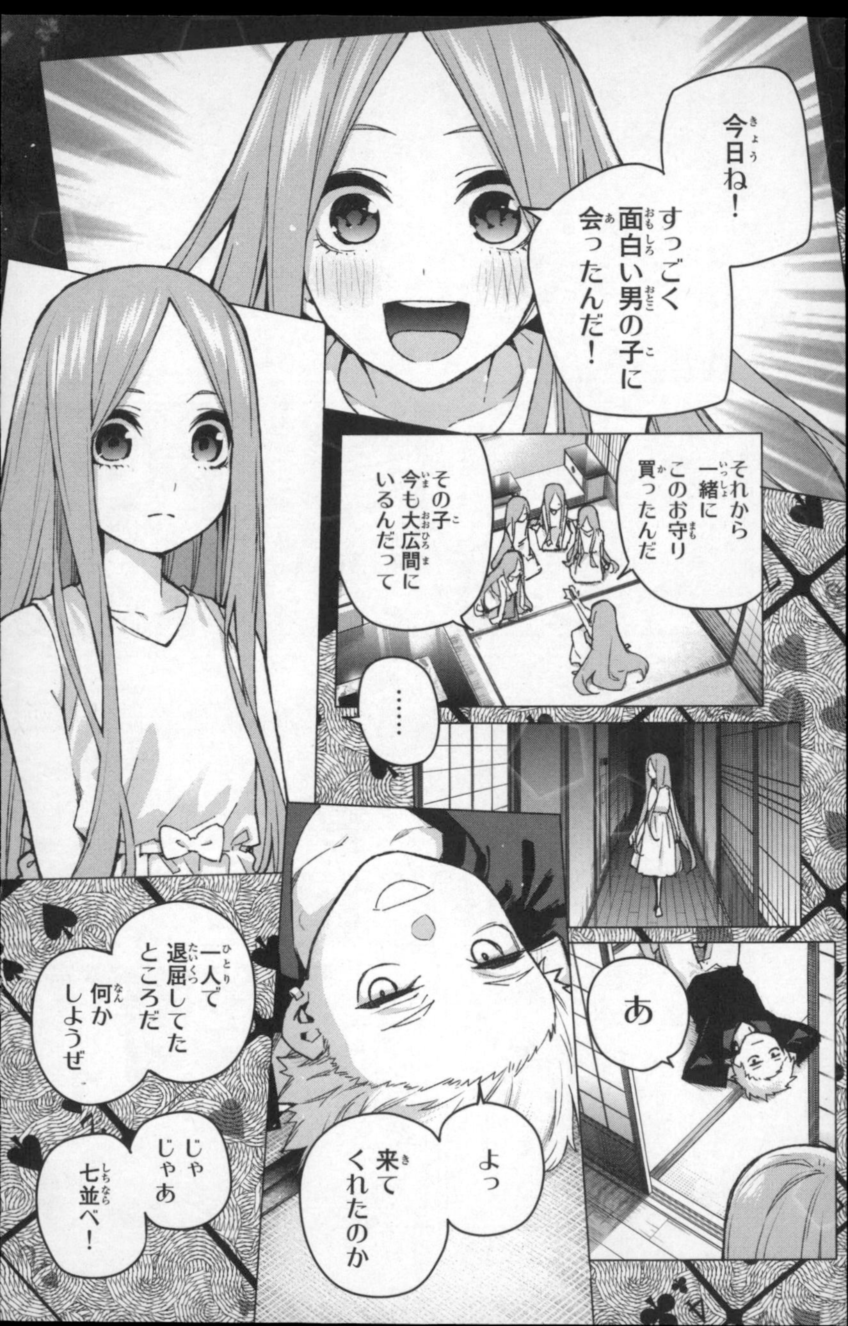
今日《きょう》ね！すっごく面白《おもしろ》い男《おとこ》の子《こ》に会《あ》ったんだ！
それから一緒《いっしょ》にこのお守《まも》り買《か》ったんだ
その子《こ》今《いま》も大広間《おおひろま》にいるんだって
……
あ
よっ来《き》てくれたのか
一人《ひとり》で退屈《たいくつ》してたところだ何《なん》かしようぜ
じゃじゃあ七並《しちなら》べ！

食《た》べちゃうぞー!!
フータロー
四葉《よつば》もいるじゃん
一花《いちか》に三玖《みく》
なんだネタがばれてる二人《ふたり》か
脅《おど》かして損《そん》したぜ
わぁ びっくり
予想外《よそうがい》だー
お気遣《きづか》いどうも

わ
私《わたし》たち
六年《ねん》前《まえ》に
会《あ》ってるんだよ
ほんの少《すこ》し
の…
わずかな
間《あいだ》だったけど
きっと
あの時間《じかん》が
あったから
君《きみ》を好《す》きに
なったんだ

好《す》き
……っ
言《い》った…
フータロー君《くん》もう信《しん》じてくれないだろうけど
あれだけは…
あの思《おも》い出《で》だけは嘘《うそ》じゃないんだよ

一花《いちか》…
私《わたし》ね……
あの二人《ふたり》が一緒《いっしょ》にいるのを見《み》て
いてもたってもいられず気《き》づいたら飛《と》びついてた
あれだけ あんたを責《せ》めておいて私《わたし》が三玖《みく》の邪魔《じゃま》をしてるんだもの…
情《なさ》けないわ…
二乃《にの》…
あんたの気持《きも》ちが少《すこ》しわかったわ
もしかしたら私《わたし》とあんた
タイミングが違《ちが》えば立場《たちば》も逆《ぎゃく》だったかもしれない

偉《えら》そうなこと言《い》ってごめんなさい
そんなこと…
そんなことない
ありがと
でも同時《どうじ》に己《おのれ》の愚《おろ》かさにも気《き》づいたの
あんたもそうなんじゃない？
三玖《みく》は最後《さいご》まで…
一花《いちか》は悪《わる》くないと言《い》ってたわよ
…うん

抜《ぬ》け駆《が》け
足《あし》の
引《ひ》っ張《ば》り合《あ》い
この争《あらそ》いには
なんの
意味《いみ》もない
私《わたし》たちは
敵《てき》じゃ
ないんだね
これが
最後《さいご》だなんて
言《い》わないで
三玖《みく》に
謝《あやま》りましょう
きっと前《まえ》より
仲良《なかよ》く
なれるわ
私《わたし》たちにしては
珍《めずら》しく
同《おな》じ
好《す》きなものを
話《はな》せるんだもの

第《だい》86話《わ》 シスターズウォー
エキシビションマッチ
好《す》き
ザザァァァァァ
ああ
知《し》ってるぞ
…だが
うん

やっぱり私《わたし》は家族《かぞく》の皆《みんな》が
好《す》き
え
ええっ!?
えええ!?
あ
お前《まえ》らなぜここに…
三玖《みく》気《き》づいてたの?
いったいいつから…
やっぱり…
一花《いちか》と二乃《にの》の声《こえ》が聞《き》こえた時《とき》からおかしいと思《おも》ってた
待《ま》て待《ま》て整理《せいり》しよう
ということは…
今《いま》の「好《す》き」ってのは…

そこに隠《かく》れてた皆《みんな》を指《さ》してだけど
ん？
もしかして…
自意識《じいしき》過剰《かじょう》くん
カァァァ
ば 馬鹿《ばか》にしやがって！
三玖《みく》 いいの？せっかく伝《つた》えたのに誤魔化《ごまか》して
いいんだよ
私《わたし》は誰《だれ》かさんみたいに勝《か》ち目《め》もないのに特攻《とっこう》するほど馬鹿《ばか》じゃない
誰《だれ》が馬鹿《ばか》よ
それに…

フータローも思《おも》ってるほど鈍《にぶ》くないから
……
やっぱり…そういうことだよな…
だから四葉《よつば》パンをありがとう
ししし一時《いちじ》はどうなるかと思《おも》ったよ
五月《いつき》…多分《たぶん》これ五月《いつき》だよね…ありがと…
すみません…
二乃《にの》
いいわよ水臭《みずくさ》い
うんありがとうそして一《いち》…

ごめん
ごめんね三玖《みく》…っ
いいよ恋《こい》ってこんなにも辛《つら》いんだね

ありがとう
一花《いちか》
おお！上杉君《うえすぎくん》
こんな所《とこ》に
いたのかい
ややっと
見《み》つけたぞ
コラ…
ん？中野《なかの》の五《いつ》つ子《ご》
全員《ぜんいん》いるじゃねーか
これはチャンス…
ぐぇっ
ま 今《いま》は
いいだろ
男《おとこ》三人《にん》で
回《まわ》ろうぜ
お化《ば》け屋敷《やしき》とか
どうだ？
またかよ!!
つーか
連絡先交換《れんらくさきこうかん》
しようぜ
色々《いろいろ》
急《きゅう》だなぁ

それから
集合《しゅうごう》時間《じかん》
までの間《あいだ》
あいつらが
何《なに》をして
何《なに》を話《はな》したのか
それは
あいつら以外《いがい》
誰《だれ》も知《し》らない
時代劇
扮装の館
時代劇扮装の館
フータロー君《くん》

フータロー君《くん》にも迷惑《めいわく》かけちゃったね
ごめんね
この映画村《えいがむら》… Eコースは
お前《まえ》たちがバラバラに選《えら》ぶ可能性《かのうせい》も含《ふく》めて選《えら》んだ
一花《いちか》お前《まえ》ならここに来《く》ると思《おも》ってな
女優《じょゆう》だからって安直《あんちょく》な考《かんが》えだが…
な なんで私《わたし》なの…？

その…言《い》いすぎた…お前《まえ》の言《い》い分《ぶん》も聞《き》かずに
反省《はんせい》してる
全《まった》くその通《とお》りだよ
女子《じょし》にあんな目《め》を向《む》けるなんて最低《さいてい》
すまん…
私《わたし》すっごく悲《かな》しかったんだよ
すまん…
なーんてね

全部《ぜんぶ》嘘《うそ》だよ
えっ？全部《ぜんぶ》って…

全《ぜん》部《ぶ》

本日《ほんじつ》はご乗車《じょうしゃ》いただきありがとうございますまもなく京都《きょうと》駅《えき》に到着《とうちゃく》いたします
全部《ぜんぶ》とは…
上杉君《うえすぎくん》聞《き》いたかい例《れい》の盗《とう》撮《さつ》騒《そう》動《どう》
悪《わり》ィミスった
……
やっぱりお前《まえ》か
全《まった》く空《くう》気《き》を読《よ》みたまえ
つい気《き》合《あい》を入《い》れすぎちまった
はぁ

まぁ いい
俺《おれ》が頼《たの》んだんだからな
土砂降《どしゃぶ》りの雨《あめ》は止《や》んだ
むむ…
行《い》きより乗車人数《じょうしゃにんずう》が増《ふ》えてるような…
きっと
雨《あめ》が上《あ》がった後《あと》の土《つち》はより固《かた》くなるはずだ
はい
チーズ

これ 渡《わた》して おいてくれ
え 何《なに》これ
誕生日《たんじょうび》の お返《かえ》し
！
アルバム…

俺《おれ》 金《かね》ねぇし 五人《にん》分《ぶん》も用意《ようい》できないんだ
ってことで それを作《つく》らせてもらった
武田《たけだ》と前田《まえだ》にも協力《きょうりょく》してもらって 完成《かんせい》した お前《まえ》たち 五人《にん》の思《おも》い出《で》の記録《きろく》だ
そういえば…
色《いろ》んなことがあって
五人《にん》で写真《しゃしん》撮《と》ってなかったかも…
ありがとう 風太郎《ふうたろう》君《くん》 皆《みんな》に渡《わた》しておくね
てっきり お前《まえ》も京都《きょうと》で何《なに》か仕掛《しか》けてくると思《おも》ったんだが…
わ…
私《わたし》なりに仕掛《しか》けてはいたんだけどな〜…
ともかく

零奈《れな》 お前《まえ》には 感謝《かんしゃ》してる
あの日《ひ》 お前《まえ》に 会《あ》わなければ 俺《おれ》はずっと 一人《ひとり》だったかも しれない お前《まえ》のおかげで 今《いま》の俺《おれ》がある
六年《ねん》ぶりの京都《きょうと》… あっという間《ま》に 終《お》わっちまったが
将来的《しょうらいてき》には 良《い》い思《おも》い出《で》に なると信《しん》じて このアルバムを 作《つく》ったんだ

ありがとな
五月《いつき》
ザッ
!
勝手《かって》な真似《まね》して
ごめんなさい

ですが…打《う》ち明《あ》けるべきです
六年《ねん》前《まえ》
本当《ほんとう》に会《あ》った子《こ》はあなただったと

ううん
これでいいんだよ
第《だい》11巻《かん》につづく！

ifシスターズウォー〜仲良し姉妹！〜

Staff 上野 ひの 張 内藤

★次巻予告《じかんよこく》★
語《かた》られる、
〝六年前の修学旅行《運命の日》〟
そして、
母親《ははおや》との物語《ものがたり》——。
五《こ》等《とう》分《ぶん》の花《はな》嫁《よめ》
第《だい》11巻《かん》は、
2019年《ねん》9月《がつ》17日《にち》(火《か》)発《はつ》売《ばい》予《よ》定《てい》!!

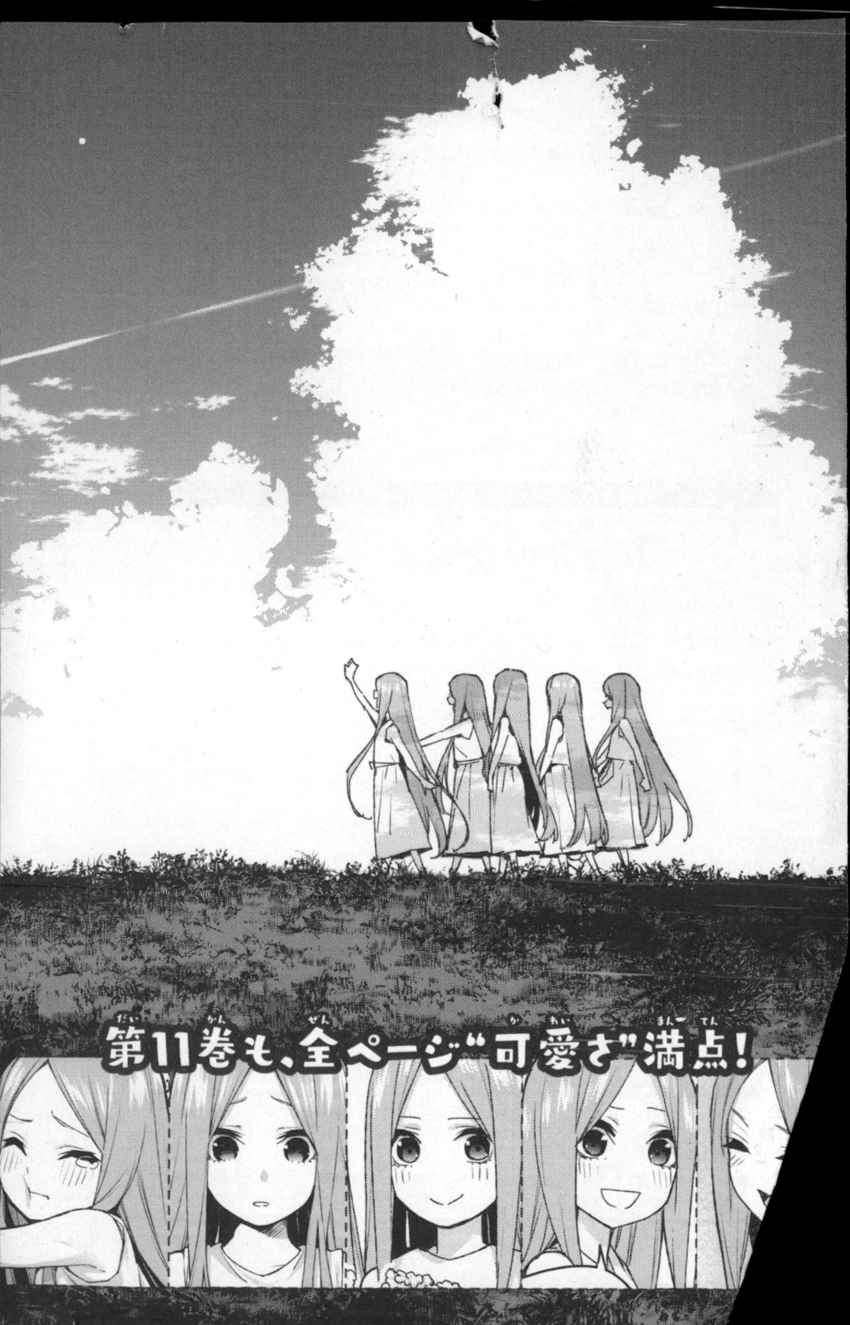
第《だい》11巻《かん》も、全《ぜん》ページ"可《か》愛《わい》さ"満《まん》点《てん》！

編集部では、この作品に対する皆様のご意見・ご感想をお待ちしております。
また「講談社コミックス」にまとめてほしい作品がありましたら、編集部までお知らせください。

〈あて先〉

〒112-8001 東京都文京区音羽2-12-21 講談社
週刊少年マガジン編集部「少年マガジンKC」係

なお、お送りいただいたお手紙・おハガキは、ご記入いただいた個人情報を含めて
著者にお渡しすることがありますので、あらかじめご了解のうえ、お送りください。

★この物語はフィクションであり、実在の人物・団体・出来事などとは一切関係ありません。

作品初出／週刊少年マガジン2019年第16号～第25号

講談社コミックス　週刊少年マガジン

五等分《ごとうぶん》の花嫁《はなよめ》⑩

2019年 6月17日 第1刷発行（定価は外貼りシールに表示してあります）

著　者　春場《はるば》ねぎ

発行者　森田浩章
発行所　株式会社 講談社
〒112-8001 東京都文京区音羽2-12-21
電話番号　編集 (03)5395-3459
販売 (03)5395-3608
業務 (03)5395-3603
印刷所　株式会社廣済堂
本文製版所　株式会社二葉写真製版
製本所　株式会社フォーネット社

講談社

1p 18cm Printed in Japan ISBN978-4-06-515308-6